POR DENTRO DA SÉRIE

ROUND 6

Título original: *Dentro del Juego del Calamar*

© 2021, Marcelo E. Mazzanti
© 2021, Antonio Vallardi Editore S.u.r.l., Milán

Por dentro da série Round 6
1ª edição: Novembro 2021

Direitos reservados desta edição: CDG Edições e Publicações

O conteúdo desta obra é de total responsabilidade do autor
e não reflete necessariamente a opinião da editora.

Tradução
Iracy Borges
Priscila Pereira Mota

Revisão
Fernanda Marão

Projeto gráfico
Agustí Estruga

Adaptação do projeto gráfico
Jéssica Wendy

DADOS INTERNACIONAIS DE CATALOGAÇÃO NA PUBLICAÇÃO (CIP)

Park, Minjoon
Por dentro da série : Round 6 : conheça os segredos dos bastidores e vença os jogos da série mais vista da história / Park Minjoon ; tradução de Iracy Borges, Priscila Pereira Mota. — São Paulo : Citadel, 2021.
176 p. : il., color.

ISBN 978-65-5047-127-9
Título original: Round 6

1. Round 6 (Programa de televisão) I. Título II. Borges, Iracy III. Mota, Priscila Pereira

21-5355 CDD 791.45

Angélica Ilacqua - Bibliotecária - CRB-8/7057

Produção editorial e distribuição:

contato@citadel.com.br
www.citadel.com.br

PARK MINJOON

POR DENTRO DA SÉRIE ROUND 6

Conheça os segredos dos bastidores e vença os jogos da série mais vista da história

Tradução:
Iracy Borges
Priscila Pereira Mota

2021

AVISO!

Neste livro há mais *spoilers* que lulas no mar!

Se você ainda não viu a série, faça isso antes de ler o livro.
Do contrário, estragaríamos todas as surpresas.
E vale muito a pena que você mesmo as veja.
Pode acreditar!

INTRODUÇÃO

"Você precisa ver a série *Round 6.*"

De repente, de um dia para o outro, você começa a ouvir essa frase em todo lugar.

Talvez até já tenha ouvido alguma vez, mas não tenha prestado atenção.

E agora todos os seus amigos estão dizendo isso.

Você a vê em todos os lugares na internet: vídeos, críticas, análises. Seus *vloggers* e *youtubers* favoritos não param de falar da série e de fazerem paródias.

Você até percebe que a televisão e os jornais têm necessidade de mencioná-la nas notícias, às vezes sem ao menos ter muito a dizer (era preciso dedicar um artigo inteiro para explicar que os americanos se queixam de que a dublagem em inglês está malfeita?).

Se por um lado ela é violenta, por outro é cheia de humor, é muito original e cheia de surpresas, mas também é muito fácil de entender. E se é totalmente viciante, no fim das contas são poucos episódios e você conseguirá ver tudo em algumas tardes. Além disso, ainda que tenha um final aberto, ela deixa você com a satisfação de ter visto uma obra completa.

E, acima de tudo, deve ser muito boa, já que é a série mais vista de toda a história da Netflix. Para se ter uma ideia, mais da metade de todos os assinantes da plataforma no mundo já viu e gostou muito da série.

Ela se tornou, inclusive, a série preferida de milhões de crianças em todos os países; e, acredite, se há uma série que não é para crianças, é esta.

No final, claro, você também acaba se rendendo.

Ainda que seja só por curiosidade.

O primeiro episódio é muito original e viciante. Você não consegue deixar de assisti-lo até chegar ao impressionante final, quando, então, fica querendo mais.

O segundo não é tão espetacular, mas é completamente surpreendente. Você nunca viu uma série que tivesse um episódio assim, em que tudo se desestrutura e depois volta a se estruturar. E continua querendo mais.

E assim continua. Então, ao chegar ao nono episódio, o último, o que você faz? Corre para a internet com o intuito de saber se haverá outra temporada.

Ao se deitar você não para de pensar na série. E, no dia seguinte, claro, fala para todos os seus colegas de trabalho, amigos, conhecidos, quase qualquer pessoa que cruze o seu caminho: "Você precisa ver a série *Round 6*".

Assim acontece com a maioria dos sucessos mais genuínos. É possível analisá-lo de todas as formas, mas no fundo o segredo, como disse um crítico, é muito simples: *Round 6* é uma série que em nenhum momento pretende ser a melhor já feita, nem a mais original, nem a mais espetacular.

O que *Round 6* pretende, de fato, é entretê-lo como nenhuma outra, emocioná-lo com as coisas extraordinárias que acontecem ao grupo de pessoas tão normais quanto você e eu, fazer com que você não possa acabar um episódio sem querer ver de imediato o episódio seguinte.

Não é o primeiro caso; por exemplo, a série espanhola *La casa de papel* foi outro grande sucesso inesperado em todo o mundo (embora não esteja à altura de *Round 6*).

Em um mundo repleto de séries criadas especificamente, desde o primeiro momento, para triunfar, em um mundo cheio de sucessos de laboratório, acaba sendo muito revigorante constatar que os maiores fenômenos ocorrem sem que ninguém — nem sequer seus criadores — saibam muito bem como.

Este livro é para todos nós que nos negamos a acreditar que a primeira temporada de *Round 6* acabou; que *sabemos* que ainda há muito a aprender, muitas pistas que perdemos na primeira vez, muitas curiosidades em que não havíamos prestado atenção, muitos detalhes sutis que às vezes nos fazem ver a série com um novo olhar.

Aqui você encontrará desde a biografia de todos os personagens importantes até uma análise detalhada de cada prova mortal nas quais se enfrentam (com a possibilidade de reproduzi-las em casa... e até com conselhos sobre como poderia ganhar em cada uma delas!); desde questionários que colocarão à prova seus conhecimentos da série (e não se preocupe, pois, se não ganhar, não será morto ou algo assim!) até um monte de relatos sobre a história, seus criadores e atores.

Esperamos que você curta a leitura. Certeza que sim.

No mínimo, se você tem este livro em suas mãos, há uma coisa que certamente já sabe: a série *Round 6* ainda não acabou.

Definitivamente, por assim dizer, *Round 6* ainda vai dar o que falar.

Boa sorte, leitor número 7.653.

GUIA DE EPISÓDIOS

Round 6 é uma série complexa.

Embora sejam apenas nove episódios, há uma grande quantidade de personagens, muitos mistérios complexos e diversas viagens ao passado, *flashbacks* essenciais para compreender bem a história.

Por isso criamos este guia de *tudo* que acontece na série.

E o apresentamos em forma de tópicos, de modo que seja mais fácil encontrar toda a informação que você busca, ou seguir a evolução de um personagem, ou consultar qualquer dúvida e lembrar-se de algum detalhe que não se recorda bem quando passou.

EPISÓDIO 1.01
Batatinha frita 1, 2, 3

- Seong Gi-hun, o protagonista da série, lembra-se de como gostava , quando era pequeno, de brincar do jogo da lula com seus amigos e relembra as regras principais.

Como em tantos outros jogos infantis, leve em conta que, no jogo, eles chamam "perder" de "morrer". Quem diria que, ao ficar mais velho, participaria de jogos nos quais, caso perdesse, morreria de verdade!

- Já no presente, a mãe de Seong Gi-hun (com quem ele vive desde que se divorciou) o lembra de que é o aniversário de sua filha, Ga-yeong, e lhe dá dinheiro para que a leve para comer em algum lugar barato. Eles têm pouco dinheiro; Seong Gi-hun faz trabalhos ocasionais, mas não é suficiente.
- Sem que ela veja, Seong Gi-hun pega o cartão de débito da mãe (não é a primeira vez) e, com um amigo, decide sacar dinheiro para apostá-lo e poder comprar um bom presente para Ga-yeong.
- Os dois amigos vão a uma casa de jogos clandestinos. Depois de perder uma vez após outra, Seong Gi-hun tem sorte e ganha uma grande quantia de dinheiro.

Enquanto acompanham as corridas de cavalos através de uma tela, vendo como estes, numerados, adiantam-se uns aos outros entre os aplausos dos apostadores, vemos claramente que se trata de um presságio. Durante o *Round 6*, o próprio Seong não será mais que um número, competindo com outros enquanto são observados pelos VIPs que apostam neles.

- Quando lhe entregam o dinheiro ganho, sem que ele perceba, uma jovem ladra o rouba, deixando-o sem nada. (A garota, evidentemente, é Kang Sae-byeok, que mais tarde será mais uma competidora dos jogos de *Round 6*.)
- A alegria de Seong Gi-hun dura pouco: ao sair do local de apostas, encontra-se com mafiosos a quem deve dinheiro. Depois de uma perseguição, eles o pegam e obrigam-no a assinar um documento com sangue: se não pagar da próxima vez, ficarão com algum órgão seu para vender e usar em transplantes ilegais.

Novamente isso é um presságio, já que para participar dos jogos de *Round 6* ele também terá que assinar a cessão de seus órgãos em caso de morte.

- Outra vez sem dinheiro (exceto pela gorjeta que deu à caixa e que se vê obrigado a pedir de volta) e ainda desejando conseguir um bom presente para a filha, Seong Gi-hun se entrega de novo ao jogo: em um parque de máquinas recreativas gasta tudo em uma dessas máquinas cheias de brinquedos nas quais, se conseguir retirar algum com uma pinça, você fica com ele. Um garoto, com pena de vê-lo perder seguidamente, resolve ajudá-lo.

O garoto dá um conselho a Seong que lhe será muito útil nos jogos de *Round 6*: você perde porque joga sem pensar; é preciso saber pensar e jogar ao mesmo tempo.

- Seong Gi-hun e sua filha comem juntos. Ele lhe dá o presente, que é um isqueiro em formato de pistola. É ridículo, mas Ga-yeong não o reprova; fica claro que gosta muito do pai. Os dois fazem planos para o aniversário seguinte da menina; nesse momento ela quer lhe dizer algo, mas desiste (como veremos depois, ela vai morar nos Estados Unidos; sabe que em seu próximo aniversário não verá Seong Gi-hun).

O invólucro do presente se parece muito com os caixões em que se cremam os perdedores nos jogos de *Round 6*.

- Na volta para casa, no metrô, um homem se dirige a Seong e lhe propõe um jogo infantil, o *ddakji*. Apostam dinheiro, mas Seong perde de novo, então o homem propõe que, em vez de pagar, Seong terá que permitir que ele lhe dê um tapa por cada vez que perder. Ao terminar, ele lhe dá um cartão de visita e diz que, se quiser continuar jogando por muito mais dinheiro, é só ligar para o número indicado no verso do cartão.

O recrutador não está fazendo outra coisa a não ser "acostumar" Seong a apostar seu corpo em troca de dinheiro, ou seja, a base dos jogos de *Round 6*.

- Ao sair do metrô, Seong visita a dona da peixaria do bairro. É a mãe de Cho Sang-woo, seu melhor amigo de infância, que é o oposto dele: um ótimo aluno que hoje é bem-sucedido no mundo das finanças. Faz tempo que não o vê porque está fora do país, em uma longa viagem a negócios.
- Novamente em casa, a mãe de Seong lhe explica que Ga-yeong vai morar nos Estados Unidos com a mãe e seu novo marido, o que o incentiva a tentar evitar que isso aconteça: segundo a lei coreana, se o pai biológico demonstra ter boa renda, pode solicitar a custódia dos filhos. Isso faz com que Seong decida ligar para o número do cartão; ele vai precisar de muito dinheiro para recuperar a filha.
- Por telefone, ele é informado para qual local deve se dirigir para que o busquem. De fato, aparece um furgão conduzido por um mascarado com um estranho uniforme cor-de-rosa e, assim que ele entra, é adormecido com um gás para que não veja aonde vão.

A senha que Seong deve dar é "Batatinha frita 1, 2, 3", que, naturalmente, é o nome do primeiro jogo de *Round 6*.

- Seong desperta em uma sala enorme cheia de beliches, o "lar" dos participantes enquanto durarem os jogos. Está vestindo um macacão com seu número de participante: 456. Ali conhece o participante de número 001, Oh Il-nam. Também reconhece Kang Sae-byeok, a garota que o roubou na casa de jogos clandestinos. Está sendo ameaçada por um criminoso, Jang Deok-su, para quem trabalhava (supõe-se que como batedora de carteiras) até que se "estabeleceu por conta própria".

O velho de número 001 lhe conta que logo morrerá de tumor cerebral. Parece estranho que tenha sido recrutado quando todos os demais participantes são jovens e saudáveis...

- O homem que parece ser o chefe do concurso explica as regras a todos e faz com que assinem um contrato com três cláusulas:
  1. Uma vez que tenham aceitado participar, os jogadores não podem retirar-se.
  2. Quem se negar a participar de algum dos jogos será eliminado.
  3. Qualquer jogo pode terminar por decisão da maioria dos participantes.

No momento de assinar o contrato, os jogadores não sabem exatamente quão literal é o termo "eliminado" do item 2.

Por outro lado, o item 3 parece ser o menos importante, mas será crucial tanto no início como no final da série.

- Mais tarde, os jogadores saem para competir no primeiro jogo: Batatinha frita 1, 2, 3. Seong reconhece entre eles seu amigo de infância, Cho Sang-woo, o aparente gênio das finanças que, supostamente, está viajando.
- Durante o jogo, os competidores são testemunhas, pela primeira vez, da seriedade das regras: todos os perdedores são assassinados impiedosamente. Nesta primeira prova morre uma quantidade enorme de participantes. De repente, não se trata só de vencer para conseguir a grande recompensa; trata-se de ganhar para continuar vivo.

Durante o primeiro jogo e o massacre final, quando todos os participantes estão aterrorizados, somente um jogador parece estar muito bem: o velho 001. Será porque sua doença faz com que ele não perceba o que está acontecendo ou o quê?

- Também durante o jogo, Seong Gi-hun começa a enfrentar seus demônios pessoais. Por um lado, nega-se a ajudar outro participante, que morre em seguida; por outro, ele mesmo está a ponto de morrer, mas é salvo no último instante por outro jogador, Abdul Ali, o número 199.

- Após o jogo, e apesar do massacre, todos os personagens principais que conhecemos sobrevivem. Mas não será sempre assim...
- A última imagem do episódio nos mostra que os jogos acontecem em uma ilha isolada da civilização. Parece evidente que ninguém vai encontrá-los ali.

EPISÓDIO 1.02
Inferno

Este episódio não contém jogos ou provas e apenas estamos na ilha. O que é, então, o inferno do título? Já se diz na própria série: o inferno, na realidade, é o mundo real. Uma mensagem muito apropriada para o que veremos...

- Informa-se aos participantes que mais da metade dos jogadores morreu na primeira prova.
- Conhecemos outro dos personagens principais, Han Mi-nyeo, a de número 212, que implora para que a deixem ir embora, pois tem uma filha. Nesse momento, outras mulheres se juntam a ela na mesma tentativa.
- Cho Sang-woo invoca a terceira regra (os jogos acabarão se for o desejo da maioria), forçando os organizadores a convocarem uma votação para deliberar sobre a continuidade ou não dos jogos.

- Os organizadores explicam o aumento do prêmio: cada participante falecido aumenta o valor em 100 mil wons.[1] Portanto, o vencedor poderá conseguir 45.600 milhões.
- A votação termina em empate, até que vota o número 001, o velho Oh Il-nam, e decide-se acabar com o jogo.

Vamos ver quais foram os votos de muitos dos protagonistas. Em alguns casos, a decisão é surpreendente:

Nome	Voto	Surpresa?
Seong Gi-hun	Não	Não
Cho Sang-woo	Sim	Sim
Han Mi-nyeo	Sim	Sim
Abdul Ali	Não	Não
Jang Deok-su	Não	Sim
Kang Sae-byeok	Sim	Não
Oh Il-nam	Não	Não

É curioso que Cho Sang-woo opte por continuar depois de ter provocado a votação. Isso mostra como sua personalidade é contraditória, como ficará claro mais adiante na série. Por um lado, sempre parece desejar ajudar os demais; por outro, quando tem algo a ganhar, é a ambição que prevalece. Outra que parecia que votaria "não", Han Mi-Nyeo, explica sua decisão:

1. N. de T.: won é a moeda coreana.

ela se deu conta de que voltar sem nada significava continuar com os mesmos problemas de antes. Em contrapartida, Jang Deok-su vota pelo término do jogo, quando se poderia afirmar que é quem mais deseja o prêmio; logo se verá por quê.

- O Líder, que é o chefe do jogo, se vê "obrigado" a aceitar o resultado da votação e cancelar os jogos. Todos os competidores são devolvidos à cidade, mas são lembrados de que o jogo será retomado se a maioria assim o desejar.
- Seong Gi-hun e Kang Sae-byeok são liberados juntos, amarrados e quase despidos. Ajudam um ao outro a se desvencilhar das cordas.
- Cho Sang-woo e Abdul Ali também são soltos no mesmo lugar. O primeiro, além de emprestar o celular para Ali ligar para sua casa, também o convida para comer e lhe dá dinheiro para o ônibus. Cho Sang-woo vê em suas mensagens do celular não lidas que a polícia procura por ele.
- Seong Gi-hun vai à delegacia a fim de denunciar o que houve. Ninguém acredita nele. Um dos agentes da polícia telefona para o número indicado no cartão e é atendido por uma mulher que não tem nada a ver com o caso. Em outra tentativa, o telefone está desconectado. Outro agente, o inspetor Hwang Jun-ho, contempla a cena.

Em uma coisa o agente tem razão. Como é possível que, depois de todo o trabalho que tiveram, os organizadores do jogo tenham deixado que saíssem tranquilamente? A resposta, claro, é que foi uma decisão deliberada: queriam que os jogadores voltassem à vida de antes, constatassem que estavam em um beco sem saída e retornassem ao jogo muito mais motivados.

- Seong Gi-hun volta para casa. Acha estranho que já é madrugada e sua mãe não está. Sai em busca dela pelas ruas e se encontra com Cho Sang-woo, que não se atreve a aparecer diante da própria mãe, que acredita que ele está em uma viagem de negócios. Cho Sang-woo explica ao amigo que deve 6 bilhões, em decorrência de ter investido ilegalmente, em mercado de futuros, o dinheiro de seus clientes.

Embora Seong Gi-hun não entenda bem o que são os futuros financeiros, trata-se basicamente de investir em quanto determinadas matérias-primas aumentarão de preço. Isso é quase o mesmo que os VIPs fazem em *Round 6*: apostar que determinado jogador se sairá melhor que os outros.

- Seong Gi-hun recebe uma ligação do hospital: sua mãe está internada. Ela sofre de diabetes grave não tratado e deve continuar internada. Mas ela decide ir embora, já que o tratamento é muito caro e seu filho cancelou o plano de saúde para gastar o dinheiro em apostas.

- O policial Hwang Jun-ho investiga o desaparecimento de seu irmão. Faz uma busca no quarto onde o irmão morava e encontra o cartão dos jogos; então se lembra de ter visto um igual quando Seong Gi-hun esteve na delegacia.

Assim como a caixa que continha o presente de Seong Gi-hun para sua filha, a caixinha na qual Hwang Jun-ho encontra o cartão se parece muito com os caixões em que são cremados os perdedores dos jogos.

- Kang Sae-byeok vai visitar o irmão pequeno no internato onde estuda. Ele está muito infeliz e não acredita no que ela diz, que logo voltarão a estar com seus pais.
- Abdul Ali vai à oficina onde trabalha (que se pressupõe que é ilegal) e exige que seu chefe lhe pague os salários devidos. Ele se nega e os dois acabam brigando. Sem querer, durante a briga, o chefe de Ali enfia a mão em uma prensa, que a esmaga, e Ali tem que fugir.
- Kang Sae-byeok, que é norte-coreana, visita o homem que organizou a fuga de sua família para o Sul mas não pôde evitar que sua mãe fosse detida. Tentar isso novamente será muito caro. A garota ameaça matá-lo, mas fica óbvio que precisa dos seus serviços.

Depois do encontro, o homem percebe que lhe roubaram a carteira, cortando o forro do bolso do seu casaco. É o mesmo método usado por Kang Sae-byeok para roubar Seong Gi-hun no primeiro episódio.

- A mãe de Cho Sang-woo recebe uma ligação do filho, que ainda sente-se incapaz de aparecer diante dela. Ele diz que ainda vai demorar para voltar de sua viagem a negócios. A polícia a visita para lhe informar que ele está sendo procurado por delitos econômicos. Mais tarde, alguém bate à porta de Cho Sang-woo e deixa o cartão dos jogos, um convite para voltar.

Cho Sang-woo está vestido dentro da banheira; parece uma situação surrealista. Mas, se prestarmos atenção, veremos um aquecedor a gás ligado. Na Coreia do Sul é uma forma comum de suicídio. Cho Sang-woo está desesperado de verdade.

- Abdul Ali dá à esposa o dinheiro que roubou do chefe e lhe pede que pegue o filho e saiam do país; ele terá que ficar um pouco mais. É claro que pensa em voltar aos jogos.
- Seong Gi-hun, depois de pedir dinheiro a um amigo, sem sucesso, vai até um bar tomar algo e se encontra com Oh Il-nam. Eles conversam e o velho lhe diz que quer voltar aos jogos.

Tendo em vista a revelação final da série, fica claro que Oh Il-nam tem uma predileção especial por Seong Gi-hun e que se encarregou de ir pessoalmente convencê-lo a voltar. Na verdade, e apesar de todas as suas artimanhas, o velho é sincero ao lhe dizer que, em sua opinião, "a vida lá fora é um inferno pior".

- Jang Deok-su conversa com um de seus comparsas e lhe propõe voltar à ilha e roubar o dinheiro do prêmio. Mas o outro o trai, entregando-o aos capangas de um cassino das Filipinas ao qual Jang Deok-su deve muito dinheiro. Ele escapa no último momento, pulando de uma ponte.

Aqui se pode deduzir que, no episódio anterior, o voto de Jang Deok-su consistiu em deter os jogos porque já pensava em reunir seu bando e roubar o prêmio com um risco físico menor. Por outro lado, a fuga, atirando-se de uma ponte, é um presságio da forma como acabará morrendo nos jogos; isso é parte de um tema subjacente da série: o capricho e a ironia do destino.

- Seong Gi-hun tem que se humilhar e pedir dinheiro emprestado à ex-mulher (principalmente considerando-se que seu objetivo era ganhar o suficiente para recuperar a filha). Ela se recusa, mas seu novo marido lhe oferece o dinheiro, em troca de que não volte a procurá-los. Seong Gi-hun rejeita o dinheiro e agradece ao homem. É a primeira vez que o vemos recusar uma soma em dinheiro, demonstrando que, até para ele, há coisas mais importantes.

- Ao voltar para casa, Seong Gi-hun é abordado por Hwang Jun-ho, contudo, apesar de sua insistência, não lhe diz nada sobre os jogos; e deduzimos que isso ocorre porque já está pensando em voltar. Para acabar de decidir-se, encontra o cartão com o convite na porta.
- Terminamos o episódio vendo todos os personagens esperando o furgão que os levará de volta aos jogos. Constataram que a vida fora é igual ou pior que antes. Por sua vez, Hwang Jun-ho esteve seguindo Seong Gi-hun e agora segue o furgão. Kang Sae-byeok finge adormecer com o gás, mas está bem desperta...

EPISÓDIO 1.03
O homem do guarda-chuva

- O agente Hwang Jun-ho segue o furgão que leva Seong Gi-hun até o porto, esconde-se na balsa que os levará à ilha e se passa por um competidor adormecido. Assim que tem a chance, ataca um dos guardas e o atira ao mar com sua documentação, mas antes veste seu uniforme.

Os guardas identificam os competidores por meio de uma espécie de leitor de código de barras. Entendemos que, durante sua estadia anterior, foi implantado um microchip próximo

à orelha de cada um deles; e isso explica como, no episódio anterior, sabiam aonde cada um iria depois de liberado.

- Já nas instalações da ilha, enquanto os competidores continuam adormecidos, os guardas lhes tiram os relógios, celulares etc. Kang Sae-byeok, que na realidade está acordada, consegue roubar um canivete do guarda.
- Depois que todos acordam, é informado que, dos 201 que voltaram à cidade, 187 decidiram retornar ao jogo; uma maioria esmagadora de 93%.

Isso parece confirmar a teoria de que tinham planejado soltá-los desde o início para que voltassem mais convencidos.

- Seong Gi-hun conversa com seus amigos Cho Sang-woo e Abdul Ali e lhes propõe formar uma equipe para proteger-se entre si. O velho Oh Il-nam pede para unir-se a eles. Seong Gi-hun o aceita de imediato; mas vemos que Cho Sang-woo, por outro lado, não tem expectativas diante de um membro obviamente tão frágil, mas não diz nada.
- O criminoso Jang Deok-su também forma sua própria equipe. Ele propõe a Kang Sae-byeok que se una a ele, mas ela recusa a proposta. Quem se oferece é Han Mi-nyeo, prometendo favores sexuais em troca.

- O grupo protagonista pensa em qual poderá ser o segundo jogo. Oh Il-nam acredita que será outro jogo infantil dos velhos tempos, como o anterior. Abdul Ali lamenta estar em desvantagem, porque desconhece os jogos das crianças coreanas, mas Cho Sang-woo, que claramente decidiu protegê-lo, oferece-se para ajudá-lo.

Oh Il-nam parece saber mais que seus companheiros sobre os jogos, embora, por enquanto, seja admissível pensar que são apenas intuições corretas.

- Um novo personagem, Byeong-gi (o jogador 111, que até agora só vimos ao fundo), encontra uma pequena mensagem em um bilhete dentro do seu café da manhã. Mais adiante saberemos que diz "biscoitos de açúcar". Alguém está lhe dando vantagem, avisando a ele qual será a próxima prova.
- Hwang Jun-ho entra em "seu" pequeno quarto de guarda, um cubículo onde se vê um cartaz pendurado na parede com três regras:
  1. Usar sempre a máscara fora do quarto.
  2. Não conversar.
  3. Não sair do quarto.

  Ele percebe que uma câmera o observa o tempo todo.

Ao final deste episódio veremos que o chefe leva muito a sério que também os guardas cumpram as regras de forma escrupulosa.

- À noite, Han Mi-nyeo pede para ir ao banheiro e Kang Sae-byeok fica alerta. A primeira pega os cigarros e o isqueiro que conseguiu esconder (aqui, por delicadeza, não diremos onde). Por sua vez, a jovem ladra aproveita a ocasião para explorar, abrindo o respiradouro com o canivete roubado. Seguindo por um conduto, observa que os guardas estão derretendo grandes quantidades de açúcar.
- Hwang Jun-ho ouve alguém tossir em um cubículo próximo.
- Começa a segunda prova, que consiste em recortar a figura desenhada em um biscoito de açúcar sem quebrá-lo. Kang Sae-byeok contou a Cho Sang-woo sobre o açúcar, e este se lembrou dos biscoitos que comia em sua infância, o que fez com que deduzisse como seria o jogo. Entretanto, embora por um momento se sinta tentado, não avisa o amigo Seong Gi-hun nem o faz mudar de ideia quando este escolhe a forma mais difícil: o guarda-chuva.
- Os guardas começam a matar os perdedores. Han Mi-nyeo usa seu isqueiro para passar na prova e depois o entrega escondido a Jang Deok-su. Por sua vez, Seong

Gi-hun tem a ideia de lamber seu biscoito, a fim de soltar o desenho central. Outros jogadores veem e o copiam.

Entre os que o copiam está Oh Il-nam, que a princípio se surpreende com essa solução e depois parece até sentir-se orgulhoso de Seong Gi-hun.

- Um dos perdedores se rebela antes de ser morto e toma a pistola do guarda, obrigando-o a tirar a máscara. Os outros guardas massacram aqueles que não terminaram o jogo no tempo estabelecido. Por fim, o perdedor se suicida, pois sabe que não tem saída. O Líder mata o guarda desmascarado, deixando claro que para ele é muito importante que tanto os guardas como os jogadores cumpram as regras.

EPISÓDIO 1.04
Fiquem juntos

- Dos 187 jogadores da prova anterior sobram 108.
- Cho Sang-woo se alegra ao ver que Seong Gi-hun continua vivo, apesar de não o ter ajudado quando teve oportunidade. Isso mostra as contradições do personagem.
- A comida é muito pouca: um ovo e um refrigerante. Jang Deok-su, o criminoso, e seu grupo trapaceiam para repetir a refeição. Por conta disso, cinco competidores ficam sem comida. Uma garota que viu o que houve os denuncia aos guardas, que não fazem nada a respeito. Um dos que ficaram sem comer enfrenta Jang Deok-su, que o mata. Os guardas continuam sem agir; simplesmente acrescentam dinheiro ao prêmio, como se a vítima fosse mais um eliminado.
- Um grupo de guardas, ajudados por Byeong-gi, está envolvido na remoção de órgãos dos que morreram recentemente; presume-se que têm a intenção de vendê-los para transplantes ilegais. Em troca, Byeong-gi recebe bilhetes na comida que informam quais serão as provas seguintes.

Eles comentam entre si que um dos guardas, o número 29, não se apresentou. Embora não se diga, trata-se daquele que foi atirado ao mar por Hwang Jun-ho, de modo a passar-se por ele.

- Cho Sang-woo propõe aos integrantes do grupo que não durmam essa noite: ele suspeita que haverá uma briga. Percebem que os valentões do grupo de Jang Deok-su os observam, e também a Kang Sae-byeok, que está sozinha. Por isso Seong Gi-hun propõe à garota unir-se ao seu grupo, mas ela não aceita; não acredita em ninguém.
- Os guardas avisam Byeong-gi sobre a briga; tudo está planejado para eliminar os competidores mais fracos. Ele se junta ao grupo de Jang Deok-su para estar protegido; a fim de que o aceitem, diz que sabe qual será o próximo jogo.
- À noite, Jang Deok-su mata a garota que o denunciou, e assim começa uma imensa briga entre todos os competidores. Seong Gi-hun salva Kang Sae-byeok. O velho Oh Il-nam grita em pânico. Os guardas acabam com a briga. De novo os mortos são considerados como "eliminados" e se acrescenta mais dinheiro ao prêmio.

Vemos claramente que o Líder não interrompe a briga até ver Oh Il-nam gritar. E ele faz isso por que só então percebe que tudo foi longe demais ou há outra razão?

- No dia seguinte, os membros do grupo de Seong Gi-hun decidem dizer seus nomes verdadeiros. Kang Sae-byeok finalmente se uniu a eles. Quanto ao grupo de Jang Deok-su, eles percebem que lhes convém matar mais competidores: podem ganhar o dinheiro igualmente e eliminar uma competição futura.

- Han Mi-nyeo e Jang Deok-su transam no banheiro. Ela está assustada e o faz prometer que não a abandonará.
- Em seu cubículo, Hwang Jun-ho volta a ouvir tosses. Ele percebe que é um número em código morse, o 29, ou seja, seu próprio número como guarda; outro guarda está tentando contatá-lo.
- Para a prova seguinte, pede-se aos jogadores que se organizem em grupos de dez. Como ainda não sabem qual será o jogo, ignoram que tipo de "parceiro" lhes convém, mas todos optam por parceiros homens e fortes. Cho Sang-woo pensa que seu grupo já é bastante fraco, então se desespera ao ver que Kang Sae-byeok recruta uma garota nova, a jovem solitária Ji-yeong (número 240) e que, no último segundo, Han Mi-nyeo, que foi recusada por Jang Deok-su, une-se a eles.
- Revela-se que o jogo é o cabo de guerra e que será disputado sobre uma plataforma muito alta. Uma das duas primeiras equipes a se enfrentar é a de Jang Deok-su, que acaba rapidamente com seus oponentes. Vemos que os perdedores são colocados em caixões, inclusive aqueles que não morreram na queda, e que um guarda desenha um pequeno sinal em alguns deles.

- O grupo de Seong Gi-hun participa do segundo confronto. Contrariando o prognóstico, o velho Oh Il-nam acaba sendo o membro mais útil, já que lhes dá conselhos muito bons. Se eles servirão para ganharem, é o que se verá no próximo episódio.

EPISÓDIO 1.05
Um mundo justo

- As estratégias de Oh Il-nam e Cho Sang-woo são bem-sucedidas e sua equipe ganha o jogo do cabo de guerra. A jovem Ji-yeong zomba da fé cristã de outro membro novo do grupo, Kim Si-hyun (número 244).
- Os pequenos sinais em alguns caixões servem para que o pequeno grupo de guardas que removem órgãos secretamente saiba quais corpos devem ser salvos da cremação. Sobram apenas quarenta competidores vivos.
- Cho Sang-woo suspeita que Jang Deok-su formou uma equipe somente de homens porque sabia de antemão que seria uma prova de força, como se, de alguma forma, tivesse descoberto o que iriam jogar.
- Antes de dormir, a equipe de Seong Gi-hun decide fazer uma barricada com os beliches, caso sofram mais ataques. Ele conversa com Jang Deok-su, fazendo-o duvidar da lealdade de seus amigos, tanto que este cancela o ataque.

- O agente Hwang Jun-ho fala com o guarda que o tinha chamado em morse, e assim descobre que eles estão envolvidos no tráfico de órgãos e devem se apresentar no local em que isso se realiza. Seus companheiros duvidam dele, pois ele parece não se lembrar de certas coisas.
- Seong Gi-hun percebe que Oh Il-nam está com febre e diz a ele para se deitar.
- Hwang Jun-ho e seu novo companheiro saem às escondidas e mergulham até chegar a um barco que os espera para entregar os órgãos. Ele vê que o Líder instalou bombas para que não restem provas caso tenham que abandonar a fortaleza por alguma razão. O companheiro confronta Hwang Jun-ho, e este descobre que seu irmão foi um dos perdedores dos jogos, embora o guarda negue. Ele diz que é possível comprovar a informação na lista de participantes que o Líder esconde em seu quarto. Ainda assim, Hwang Jun-ho o mata a sangue-frio.

A negativa do guarda pode parecer um gesto desesperado para salvar-se. Entretanto, disse a ele como comprovar que não estava mentindo. E, como veremos ao final da série, estava dizendo a verdade.

- Enquanto isso, Byeong-gi também tem problemas com os traficantes de órgãos, que não podem lhe dizer qual será o próximo jogo porque ainda não sabem. Em pânico, o médico foge, perseguido por um dos guardas. Este último vai matá-lo para que não os denuncie, mas o Líder, que observava tudo pelas telas de vigilância, aparece e evita que isso aconteça. Segundo ele, o tráfico não importava, mas o guarda havia rompido a igualdade ao jogar com vantagem. Assim acabam matando tanto o guarda como Byeong-gi.

- O Líder descobre o cadáver do guarda que foi morto por Hwang Jun-ho. Extrai a bala da cabeça e a examina. Sabe que o assassino continua na ilha porque não falta nenhum equipamento de mergulho, que é a única forma de sair dela.

Ainda que não se diga, o Líder viu que a bala assassina pertence ao modelo de pistola utilizado pela polícia coreana (Smith & Wesson M60).

- Hwang Jun-ho, por sua vez, chegou ao quarto luxuoso do Líder. Ele vê um traje pendurado com uma máscara dourada. Encontra também os arquivos de jogos passados: vêm sendo realizados desde 1998, pelo menos. E comprova que seu irmão, Hwang In-ho, foi um dos competidores nos jogos de 2015.

O traje da máscara dourada, como veremos, é usado pelo Anfitrião para falar com os VIPs, os apostadores de luxo nos jogos. Também vemos que, nos arquivos correspondentes ao ano atual, a primeira ficha é a do jogador 002. Por que não consta o 001, o velho Oh Il-nam? Quanto ao irmão de Hwang Jun-ho, o que aparece nos arquivos de 2015 parece confirmar que o guarda mentia. Mas, pensando bem, em nenhum momento foi dito há quanto tempo está desaparecido, o que nos fez pensar que se tratava de algo recente, mas talvez não fosse...

- Os guardas percebem a falta não apenas do número 28 (o morto), mas também do 29 (na verdade, Hwang Jun-ho). Vasculham o dormitório dos competidores. Um deles está a ponto de matar Oh Il-nam, mas percebe que ele se urinou e está delirando, então deixa-o em paz.

Se você já chegou ao final da série (e se não, nem deveria estar lendo isto!), é evidente que nem os guardas sabem quem é, realmente, Oh Il-nam. Quanto a ele, se você prestar atenção à imagem, verá que ele tem ao seu lado uma garrafa de água vazia: fingiu que se urinou.

EPISÓDIO 1.06
Gganbu

Este episódio é considerado pela maioria dos fãs e críticos como o melhor de *Round 6*. Embora nem todos estejamos de acordo, é certo que aqui a série alcança seus níveis máximos tanto de angústia como de aprofundamento na psicologia dos personagens.

- A caminho da nova prova, os jogadores constatam que os guardas traficantes de órgãos e o doutor Byeong-gi foram enforcados e exibidos publicamente. Por alto-falantes explica-se que os mortos romperam o ideal de igualdade de todos os competidores. Han Mi-nyeo e Jang Deok-su percebem que, sem o doutor, perderam a possibilidade de conhecer as provas antecipadamente.
- Hwang Jun-ho tira fotos com seu celular de alguns documentos dos arquivos. Ele se esconde quando o Líder aparece para atender uma chamada em seu telefone fixo.

Embora não saibamos disso agora, a forma como o Líder coloca o telefone no gancho será muito importante.

- Para a prova seguinte, pede-se aos jogadores que formem duplas.

Isso é especialmente cruel porque, após o episódio anterior, parece que os pares competirão juntos, quando, na verdade, será pedido a cada um que vença o outro (e, portanto, que provoque sua morte).

- Quando o Líder sai, Hwang Jun-ho usa o telefone para chamar os números 112 e 119, mas sem sucesso.

Embora não seja dito na série, esses números coreanos correspondem a polícia e ambulância/bombeiros, respectivamente.

- Nenhum competidor quer formar dupla com Han Mi-nyeo. Kang Sae-byeok, Ji-yeong e Oh Il-nam percebem que o mesmo se passará com eles: ninguém quer se unir a uma mulher ou a um velho, que são considerados os mais fracos. Seong Gi-hun se surpreende ao ver que seu amigo Cho Sang-woo pede a Abdul Ali que seja seu par em vez dele (talvez por lhe parecer mais manipulável?); e, no entanto, Seong Gi-hun imediatamente recusa Oh Il-nam como parceiro, apesar de mais tarde unir-se a ele por pena: como resta um número ímpar de participantes, suspeita-se que aquele que ficar sem par será eliminado. Kang Sae-byeok e Ji-yeong se unem. Finalmente, quem fica sem par é Han Mi-nyeo e os guardas a levam. Seu futuro parece sombrio...

- O local do jogo é um cenário que simula as ruas de um bairro. Oh Il-nam diz que morava em um lugar muito semelhante a esse quando era pequeno.

(Novamente, mais um grande *spoiler* se você ainda não viu toda a série!) Não é estranho que o cenário lembre a infância de Oh Il-nam? Certamente, ele mesmo deve tê-lo desenhado.

- Cada um recebe um saco com dez bolas de gude. O objetivo é ganhar todas as bolas de gude do outro sem violência. Embora seja difícil para muitos, todos decidem jogar; no fim das contas, eles sabem que, se um deles não morrer, os dois morrerão.
- Kang Sae-byeok e Ji-yeong decidem que vão arriscar tudo em uma rodada quando o tempo estiver se esgotando; preferem conversar em vez de enfrentar-se.
- Seong Gi-hun, muito pressionado, renuncia a seus ideais: quando Oh Il-nam se nega a jogar, pede (sem sucesso) aos guardas que o considerem como vencedor.
- Jang Deok-su, por sua vez, está perdendo. Pede para mudar de jogo, mas seu companheiro se recusa. Ele pede a um guarda que o autorize, e, surpreendentemente, este aceita.
- Cho Sang-woo também está perdendo. Ele acusa Abdul Ali de trapacear. Não aceita o que é evidente: não é tão bom em jogos de números como pensa. Finalmente

decide trapacear e enganá-lo, ficando com todas as suas bolinhas. Seong Gi-hun, ao constatar que vai perder, também engana Oh Il-nam. Ji-yeong decide deixar Kang Sae-byeok ganhar, pois considera que esta tem mais razões para continuar viva do que ela.

Ainda que seja por pura sorte, o imoral Jang Deok-su é o único dos protagonistas que ganha de forma limpa, sem trapacear. Por outro lado, Oh Il-nam diz a Seong Gi-hun que se esqueceu de comprar um presente de aniversário para o filho, o que nos faz lembrar da situação de Seong Gi-hun e sua filha no primeiro capítulo. Quase parece querer irritar o outro para que se decida a traí-lo de vez (e, como saberemos no último episódio, demonstrar-lhe sua teoria de que somos todos bons apenas enquanto isso beneficia nossos interesses). Além disso, ao despedir-se de Seong Gi-hun, Oh Il-nam lhe diz: "Graças a você, acabei me divertindo". Diante da última grande revelação da série, essa frase adquirirá um sentido novo.

- O episódio termina quando Seong Gi-hun se afasta enquanto, ao fundo, eles vão matar Oh Il-nam.

Conforme a imagem se abre, vemos de forma sutil que o cadáver de Oh Il-nam não está lá e tudo foi uma farsa. Agora compreendemos a ironia do título do episódio: *gganbu* é como os coreanos chamam o amigo de infância com quem se compartilha tudo.

EPISÓDIO 1.07
VIPs

- Da prova anterior sobraram dezessete jogadores. O número continua sendo ímpar porque deixaram que Han Mi-nyeo vivesse, seguindo a tradição infantil coreana de proteger a criança mais fraca do grupo.

À medida que sobram menos competidores, os beliches vão sendo retirados, revelando a decoração das paredes, que são gráficos dos diferentes jogos. É um detalhe importante, mas muitos fãs tem dado a ele mais importância do que tem: afirmam que, se soubessem, os competidores poderiam ter criado estratégias melhores, embora isso não esteja claro. Em primeiro lugar, a partir de tais imagens, em muitos casos não é possível deduzir em que consistem os jogos; e, em segundo, tampouco sabiam em qual ordem seriam jogados, razão pela qual não serviria sequer para formar as equipes.

- O Líder sabe que alguém entrou em seu quarto, porque o telefone fixo foi colocado no gancho ao contrário do modo como ele faz. Ele recebe o aviso de que encontraram outro cadáver na orla, e o Líder se retira justamente quando estava a ponto de encontrar Hwang Jun-ho.
- O corpo é do guarda que foi atirado na água por Hwang Jun-ho no terceiro episódio, no qual colocou seu distintivo de agente.

Ao ver o distintivo, o Líder sabe quem é o policial, o que será essencial no final da série.

- Um jogador que na última prova teve que deixar sua esposa morrer propõe votar para abandonar o jogo (seguindo a terceira regra), mas ninguém concorda. Cho Sang-woo diz o que todos sentem: chegaram muito longe para abandonar a competição agora.

Apesar de tê-lo traído na prova anterior, Seong Gi-hun continua usando o casaco que ganhou de Oh Il-nam. Isso reflete, em certa medida, seu arrependimento e como tem que "carregar" a culpa pelo que fez.

- Chegam à ilha os "homens importantes" (ou VIPs, dependendo da versão que você acompanha, se é dublada ou legendada). O Líder os recebe e se desculpa porque o verdadeiro chefe, o Anfitrião, não pode lhes dar as boas-vindas. Pela conversa, deduzimos que os jogos são celebrados, a cada ano, em vários países.
- Desta vez Hwang Jun-ho ataca um dos garçons mascarados dos VIPs e ocupa seu lugar. Guarda o celular em uma manga para gravar tudo.
- O jogador que deixou sua esposa morrer acaba enforcando-se. Os guardas o colocam em um caixão e aumentam o valor do prêmio.

- O Líder apresenta a próxima prova, a ponte de vidro, na luxuosa sala comum dos VIPs. Um deles parece muito interessado em Hwang Jun-ho.

Caso você não tenha notado, as estátuas da sala não são estátuas, mas sim pessoas que se mantêm muito quietas. Isso não tem outro significado além de mostrar quão abusivos e imorais são os VIPs, ou também pode-se entender que eles as usarão depois para fins sexuais.

- Antes da prova seguinte, os jogadores deverão escolher um número entre 1 e 16. Eles são informados de que é a ordem em que participarão.

Como sempre, essa escolha só demonstra o sarcasmo dos jogos: assim podem continuar dizendo que são os jogadores que escolhem, quando, na verdade, sem informação adicional essa decisão não serve para nada. É outra entre tantas parábolas da série sobre o capitalismo: uma ilusão de liberdade que, na realidade, é pouco mais que cosmética. Ironicamente, para este jogo, seria melhor ser o último, mas ninguém quer o número 16.

- Começa a prova. Os jogadores caem (literalmente) como moscas. Apesar disso, Cho Sang-woo é o primeiro a perceber que existe outro perigo: que os jogadores hesitem demais, demorem a cruzar a ponte e, aos últimos, não sobre tempo. Logo começam a se empurrar quando o competidor da frente não avança rápido o bastante.

- Enquanto isso, um VIP pede favores sexuais a Hwang Jun-ho, que o convence a, pelo menos, ir a um local mais reservado. Ali o ataca, desmascara-o e exige que lhe conte tudo que sabe sobre os jogos.
- No meio do caminho, Jang Deok-su se recusa a continuar saltando. Não lhe importa que isso também condene os demais. Han Mi-nyeo o agarra e se precipita no vazio com ele.
- Um dos jogadores, que trabalhou em uma fábrica de vidro, é capaz de distinguir entre os dois tipos de vidro. Contudo, para não lhe dar vantagem, o Líder apaga as luzes que lhe permitiriam fazer a distinção. Cho Sang-woo demonstra ter passado completamente para o "lado obscuro" quando empurra o homem com total frieza.
- Um guarda encontra o VIP inconsciente e despido. O Líder entende de imediato que o garçom que o atendia era, na verdade, o intruso. Vai a seu quarto e comprova que, como suspeitava, Hwang Jun-ho está fugindo por sua saída secreta.

EPISÓDIO 1.08
O Líder

- Hwang Jun-ho chega nadando a uma outra parte da ilha. O celular não tem cobertura.
- Seong Gi-hun e Cho Sang-woo discutem se vale qualquer coisa com o intuito de ganhar. É claro que suas opiniões são opostas.
- Kang Sae-byeok está muito mal. Na prova anterior um pedaço grande de vidro se cravou em seu ventre e ela está perdendo muito sangue.
- Os guardas pedem aos três sobreviventes que usem camisas com gravatas-borboletas.
- O Líder chega ao lugar onde está Hwang Jun-ho, que, a partir de seu esconderijo, conseguiu chamar a polícia. Ele enviou as fotos e os vídeos que conseguiu fazer.
- Os guardas oferecem um jantar de luxo aos três competidores.

Nas redes comenta-se muito sobre a simbologia maçônica do lugar onde ocorre o jantar (mesa triangular sobre um círculo quadriculado branco e preto). A inspiração estética é inegável, embora se duvide de que significa algo. Na verdade, parece que o único objetivo do banquete é colocar facas à disposição dos sobreviventes para que possam se atacar no jogo seguinte.

- O Líder e seus guardas encontram Hwang Jun-ho, que lhes informa que já avisou a polícia, o que não os deixa muito impressionados. Embora reste uma única bala, o agente é incapaz de disparar contra o Líder para matá-lo. Por sua vez, este tampouco parece desejar acabar com ele. Ocorre que, ao revelar seu rosto, descobre-se que o Líder é o irmão "desaparecido" de Hwang Jun-ho. Finalmente, o Líder dispara, fazendo-o cair de uma grande altura para o que parece ser sua morte.

Para dar mais destaque à cena, o irmão de Hwang Jun-ho foi interpretado por Lee Byung-hun, o ator mais conhecido de todos que participam da série.

- Seong Gi-hun e Kang Sae-byeok conversam. O primeiro lhe propõe unir-se a ele contra Cho Sang-woo no último jogo. A jovem o faz prometer que, se um dos dois sobreviver, cuidará da família do outro.

Os dois conversam também sobre o que farão com o dinheiro se ganharem. No caso de Seong Gi-hun, é angustiante a comparação entre o que diz e o que realmente fará ao final da série.

- Cho Sang-woo está dormindo. Seong Gi-hun sente-se tentado a matá-lo, mas Kang Sae-byeok lembra-lhe de que ele não é assim. É a última coisa que ela faz antes de morrer. Seong Gi-hun pede ajuda aos guardas, mas estes se limitam a colocá-la em um caixão e a acrescentar mais dinheiro ao prêmio. Mas isso não é tudo: ele descobre que, enquanto estava de costas, Cho Sang-woo acabou com ela. Seong tenta atacá-lo para vingar-se, mas os guardas os separam.

Embora os guardas não costumem intervir nas brigas entre jogadores, neste caso o fazem porque, se um matasse o outro nessa briga, o sobrevivente seria o vencedor e não teria com quem disputar o último jogo. Assim acaba o episódio mais curto da série, mas também o mais surpreendente... ao menos, até o próximo.

EPISÓDIO 1.09
Um dia de sorte

- Antes do último jogo, que é o jogo da lula, uma moeda é lançada no ar para a decisão de "cara ou coroa". O ganhador, Seong Gi-hun, escolhe ser o atacante.
- Já em campo, Seong Gi-hun supera facilmente a primeira etapa (em que se move pulando em um só pé), jogando terra no rosto de Cho Sang-woo e cegando-o por um momento.
- O confronto final acontece. Apesar de seu ódio, Seong Gi-hun é incapaz de matar Cho Sang-woo quando pode

e até mesmo se recusa a ganhar o jogo; prefere exercer seu direito de acabá-lo (de acordo com a terceira regra) para que os dois possam ir embora. Entretanto, Cho Sang-woo não está disposto a retornar para casa sem o prêmio, por isso prefere suicidar-se.

O desenrolar do confronto nos mostra que as provas não passam de desculpas; apesar das regras e do cenário, trata-se apenas de uma briga de bar até a morte, o jogo é o que menos importa.

- O Líder conduz Seong Gi-hun de volta à cidade. Para ele, os jogadores não são apenas humanos, mas sim cavalos de corrida.

Essa comparação soa especialmente irônica quando nos recordamos de Seong Gi-hun fazendo apostas em cavalos, no início da série... e se levamos em consideração que o próprio Líder, há alguns anos, também foi um desses "cavalos".

- A limusine do Líder deixa Seong Gi-hun largado na rua. Em sua boca foi colocado um cartão de débito com o qual poderá retirar o prêmio. Adivinhe a senha: 0456.
- A caminho de casa, encontra-se com a mãe de Cho Sang-woo, que lhe avisa sobre o estado de saúde de sua mãe, que deve ter piorado, já que não está atendendo ao telefone. Ela lhe pergunta se sabe algo de seu

filho, mas ele, em choque, não é capaz de responder. Ao chegar ao apartamento encontra a mãe morta.

- Passamos para o ano seguinte. Seong Gi-hun se tornou um vagabundo. No banco acham estranho ele não ter feito nada com o dinheiro do prêmio. Ele, decidido, pede apenas uma esmola ao funcionário.

Seong Gi-hun queria o prêmio apenas para ajudar sua mãe e sua filha, mas tinha perdido as duas (supomos que esta última esteja na América do Norte com sua nova família).

- Uma vendedora de flores lhe implora que compre uma. Seong Gi-hun lhe dá a esmola do funcionário do banco. Então ele vê que na flor tem um cartão com o logotipo dos jogos, convocando-o para encontrar-se com seu *gganbu*, ou seja, com o supostamente morto Oh Il-nam.
- Ele vai ao encontro e, de fato, encontra-se com o velho, que revela ter sido ele o "Anfitrião" dos jogos. Então lhe propõe uma última aposta: na rua há um mendigo largado no chão; se alguém ajudá-lo até a meia-noite, Seong Gi-hun ganhará a aposta. Enquanto esperam, ele explica que é um agiota, que tem tanto dinheiro que até fica entediado. Para ele e seus parceiros os jogos são apenas uma forma de diversão (e justifica-se dizendo que não obrigou ninguém a jogar). Quanto à sua morte iminente por causa de um tumor cerebral, diz que é

verdade. Tenta convencer Seong Gi-hun a não se sentir culpado e usar seu dinheiro. No último momento, alguém ajuda o mendigo. O velho morre.

É evidente que, apesar de tudo, Oh Il-nam desenvolveu certa consideração por Seong Gi-hun, e, inclusive, tenta justificar-se à sua maneira diante dele antes de morrer.

- A experiência faz com que Seong Gi-hun recupere um pouco de sua fé na humanidade. Decide vestir-se bem e tingir seu cabelo de vermelho. Cumprindo o que foi pedido por Kang Sae-byeok, ele tira o irmão dela do orfanato e o deixa aos cuidados da mãe de Cho Sang-woo, dando-lhe uma maleta cheia de dinheiro com um bilhete dizendo que tinha contraído uma dívida com seu filho, para que ela não sentisse que era caridade.
- Em seguida, Seong Gi-hun está a caminho de tomar um avião para visitar sua filha, mas no metrô reconhece o homem que o recrutou para os jogos tentando aliciar outro. Não chega a tempo de pegá-lo, mas toma o cartão da nova vítima.
- Quando está a ponto de subir no avião, decide ligar para o número e dizer-lhes que não vai mais tolerar o que fazem. Uma voz lhe avisa para não fazer besteiras e seguir adiante com sua viagem (o que demonstra que está sendo observado). Seong Gi-hun decide não

obedecer, e seu rosto determinado nos faz pensar que ele vai ficar e fazer o que for possível para acabar com os jogos. Talvez em uma segunda temporada da série?

QUEM É QUEM

(ou qual número é qual número)

456
218
067
001

Na maioria dos comentários e críticas que você verá sobre *Round 6*, destaca-se como uma das maiores virtudes da série a forma como seus personagens foram bem criados. E isso é bastante relevante, porque não são poucos.

Em contrapartida, outros dizem que, além dos dois ou três principais, todos são muito arquetípicos, até mesmo unidimensionais, sem personalidades muito complexas.

As duas posições fazem sentido e são, em parte, corretas.

Ocorre que, quando se cria uma série em que é tão importante que o espectador se identifique com um dos personagens e "aposte" nele, ou nela, suas características devem estar claras desde o primeiro momento; e para isso oferece-se tipologias muito diferentes e que, em características amplas, podem ser uma boa representação da sociedade em geral.

Nesse sentido, *Round 6* realiza um trabalho impecável ao nos mostrar como pode ser a reação de qualquer cidadão comum quando as circunstâncias o obrigam a mostrar uma vez ou outra o pior de si mesmo.

Alguns cedem de imediato à tentação de fazer mal. Outros resistem e iniciam uma viagem tortuosa (e apaixonante) que, no fim das contas, acabará levando-os igualmente ao mal. E algum outro até será capaz de resistir e mostrar uma bondade sem limites, até que chegue o final inevitável.

Apesar disso, evidentemente, mais de um desses personagens escondem grandes e terríveis surpresas!

Mas deixemos que cada um deles se apresente por si mesmo.

SEONG GI-HUN

Jogador número 456

456

"Há quem diga que sou especialista em fazer mal a mim mesmo. O que posso dizer? Não sou um gênio. E sei muito bem que não sou."

Não sei por que alguém iria querer saber algo de mim. Nunca gostei de me destacar, prefiro passar despercebido: de fato, quando se é como eu, quanto mais despercebido, melhor.

Não que eu me considere uma pessoa má. Tento não ser. Ou, pelo menos, nunca quis machucar ninguém. E acho que, até os malditos jogos, eu consegui... mais ou menos.

Há quem diga que sou especialista em fazer mal a mim mesmo.

O que posso dizer? Não sou um gênio. E sei muito bem que não sou.

Sei também que, com 47 anos, dificilmente vou mudar. Sim, o tempo passa e a vida já deixou claro que nunca chegarei a ser um empresário famoso ou algum tipo de herói, ou qualquer desses sonhos inocentes que todos nós temos quando somos crianças.

Faz tempo que deixei de perseguir a *sorte grande* que mudaria minha vida por completo. Apenas estou tentando procurar pequenos golpes de sorte que me ajudem a superar os problemas mais imediatos. Meu objetivo é conseguir acordar amanhã um pouco melhor que hoje. Ou, pelo menos, não acordar pior.

Só estou tentando viver minha vida da melhor forma que posso e sem incomodar muito.

Nasci e sempre morei em Ssangmun-dong, um bairro humilde de Seul. Sempre me considerei um menino de classe baixa.

Não há nada de mal nisso. Veja meu amigo Cho Sang-woo. Moramos muito perto, estudamos na mesma escola, onde jogamos os mesmos jogos (sim, principalmente o jogo da lula, meu preferido)

456

"Faz tempo que deixei de perseguir a *sorte grande* que mudaria minha vida por completo."

e ele se saiu bem: hoje é um mestre das finanças, uma grande pessoa e um verdadeiro vencedor.

Eu... nem tanto.

Como tantos outros, cursei o ensino médio no instituto tecnológico. Gosto desse nome, dá a impressão de que lá se formam astronautas ou algo assim. Mas não, claro; ali se ensinam cursos profissionalizantes. Ensinam os alunos a serem bons trabalhadores, e eu também não esperava mais do que isso.

De fato, logo consegui um bom trabalho na grande empresa Dragon Motors. Podia-se dizer que eu era uma peça na grande engrenagem que produzia alguns dos carros mais populares do país. E até me orgulho um pouco disso.

Naquele tempo, as coisas iam de vento em popa, principalmente quando me apaixonei – de alguma maneira consegui que ela se interessasse por mim, e acabamos nos casando.

Como você pode ver, tudo muito normal.

Nunca pedi muito à vida, e a vida não me deu muito.

Não me importava. Eu era feliz.

Poderia ter continuado assim até o final.

Mas então me aconteceu o que chamam de um momento histórico.

E você sabe o que dizem sobre os momentos históricos: é melhor que não estejam ao nosso alcance.

Ou, como dizem nossos vizinhos chineses, em tom de maldição: "Tomara que você viva tempos interessantes".

Há dez anos, na Dragon Motors, fizemos uma das greves mais conhecidas da história da Coreia do Sul. Uma das mais importantes. Uma das mais trágicas.

É que a crise chega a todos os lugares, e até os dragões mais poderosos se veem obrigados a curvar-se a ela.

Pouco antes, uma grande empresa chinesa havia comprado a Dragon Motors, e não demorou até chegarem as primeiras demissões. De 8.700 trabalhadores passamos a 7.000 em um piscar de olhos. E isso foi só o começo.

É óbvio que, em tempos ruins, todos temos que colaborar, mas no fim esse "todos" significa sempre os mesmos: pessoas como eu.

Entretanto, nossos sindicatos decidiram que dessa vez iríamos fazer oposição. E assim o fizemos: ocupamos a fábrica e resistimos durante meses.

Poderíamos ter nos poupado. Porque uma das coisas que tornou nossa greve tão notória foi a reação da polícia.

Cortaram a luz, o gás... tudo. Acredite em mim, não é fácil aguentar nessas condições. Quando mostramos que estávamos dispostos a fazê-lo, eles nos sitiaram. Lançaram gás lacrimogêneo contra nós por meio de helicópteros. Mais de dois mil policiais nos cercaram e se encarregaram de que nenhum suprimento cruzasse as portas da fábrica.

Nós nos defendemos como pudemos. Usamos estilingues com os quais lançávamos parafusos, porcas, tudo que encontrávamos.

Por fim, a polícia decidiu entrar. Com uma violência jamais vista. Foram centenas de feridos.

Então perdemos. Nossa luta, dizem, deu a volta ao mundo. Mas perdemos.

Resultado: mais demissões. Muitas mais.

Eu fui um deles.

Foi então que minha vida mudou por completo. Nesse momento entrei em uma espiral de autodestruição da qual nunca me recuperei.

Como tantos outros demitidos, tornou-se impossível para mim encontrar outro trabalho. Não eram bons tempos. E minha filha estava a ponto de nascer. Não tive outro remédio a não ser me estabelecer por conta própria. E, assim como tantos outros, o que fiz foi montar um restaurante. Nada muito luxuoso, mas tinha dois lugares distintos: em um servíamos frango frito, o outro era um bar.

Por um tempo pensei que daria certo. Até descobri que me sentia bastante confortável em minha nova função de proprietário e gerente.

Infelizmente, a alegria não durou muito. Logo ficou claro que o negócio não funcionava e acabei tendo que fechar os dois lugares.

456

"Foi então que minha vida mudou por completo. Nesse momento entrei em uma espiral de autodestruição da qual nunca cheguei a me recuperar."

Tenho amigos que dizem que minha história é a história do país. Isso não me consola.

Mas nada disso foi tão importante para mim como o que veio a seguir.

Já que estamos falando de ditados populares, conhece aquele que diz que "quando a pobreza entra pela porta o amor sai pela janela"? Pois foi exatamente o que me aconteceu.

Kang Mal-geum me deixou. Foi embora, e, o que é pior, levou minha querida Ga-yeong, minha filha, a pessoa que mais amo no mundo.

Sim, eu a vejo de vez em quando, tenho meus direitos de visita. Mas nossos encontros não são mais que isso, visitas. Sei que ela gosta de mim, e muito, mas estamos mais distantes a cada dia, e isso é inevitável.

Além disso, pouco depois do divórcio, minha ex-mulher acabou conhecendo outro homem e se casou com ele; e parece que o escolheu de propósito: um homem de negócios, bem-sucedido, estável. Tudo que eu não sou.

Desde então tive que voltar a morar com minha mãe e trabalho ocasionalmente como motorista. Vivo com pouco. O dinheiro nunca chega até o fim do mês.

Neste ponto, tenho que confessar que mais de uma vez tive que recorrer às apostas. Só quando não me restava outra saída, e apenas por necessidade. Apesar disso, devo admitir que são muito viciantes.

Já sei, não é uma decisão brilhante. Você nunca se sai bem.

Na verdade, hoje, não sei bem como cheguei a uma dívida no banco de 255 milhões; e, quando ele deixou de me emprestar dinheiro, contraí outra dívida de 160 milhões com agiotas de, digamos, legalidade duvidosa. Pessoas que é melhor não decepcionar.

456

"Tenho amigos que dizem que minha história é a história do país. Isso não me consola."

A ironia é que acabei de saber que minha filha, minha ex-mulher e seu novo marido vão morar nos Estados Unidos. E, se quero tentar recuperar a custódia de Ga-yeong e não perdê-la para sempre, tenho que demonstrar que meu patrimônio é suficiente para poder cuidar dela. Ou seja, necessito de mais dinheiro ainda.

Agora não sei muito bem o que fazer ou como sair dessa. Sei que devo mudar, mas não vejo como. Assim continuo vivendo cada dia e esperando esse golpe de sorte que vai transformar minha vida, mas como já disse, não acredito muito nisso.

E aqui estou, na estação do metrô, logo depois de outro momento em que acreditei que tudo iria melhorar, mas tudo terminou extremamente mal. Como resultado, ou pago o que devo ou vão me tirar o fígado e um olho para vendê-los a traficantes de órgãos.

Tanto faz se acredito ou não: preciso, de verdade, de um golpe de sorte. Mas o que vou conseguir? Claro que não é esse cara pesado com uma aparência de vendedor de enciclopédias, que sentou-se ao meu lado apesar de a estação estar vazia, que vai oferecê-lo a mim...

CHO SANG-WOO

Jogador número 218

Nunca gostei muito de falar sobre mim. Sempre acreditei no ditado dos indígenas: "Quem sabe não fala, e quem fala não sabe". E eu, evidentemente, prefiro estar entre os que sabem.

Apesar disso, neste momento, suponho que pouco importa, então aí está minha história, a quem possa se interessar por ela.

Não tenho vergonha de dizer que sou um garoto do subúrbio. Não me entenda mal: nunca fui pobre. Minha mãe tinha (ainda tem) uma peixaria no mercado local e nunca me faltou nada. Do meu pai prefiro nem falar. Digamos que já não está conosco, que há muito tempo não está conosco.

218

"Fui um menino mimado, não tenho problema em admitir isso. Não só era filho único como também a ausência de meu pai fez com que minha mãe me dedicasse todo o seu amor."

Fui um menino mimado, não tenho problema em admitir isso. Não só era filho único, como também a ausência de meu pai fez com que minha mãe me dedicasse todo o seu amor. E eu nunca tive um caráter rebelde. Ou tive, mas à minha maneira. É claro que nunca dei a ela nenhum motivo para não me tratar como um rei.

Na escola sempre fui um bom estudante. Ou, modéstia à parte, mais que bom: desde o começo fui o mais brilhante da turma.

Acho que acabei me acostumando com essas coisas. Como acontece com tudo, se toda a sua vida lhe dizem que você é o melhor e o tratam como o melhor, é inevitável que você acabe acreditando.

(Hoje acredito que aí reside o motivo de minha vida não ser nada do que eu esperava. Sim, é certo que sou muito bom no que faço. Mas quando começamos a nos convencer de que, se você é o melhor, por lógica todo o resto é pior que você... Enfim, é aí que, invariavelmente, as coisas começam a entortar.)

Mas nada disso afetava a imagem que todos tinham de mim.

Lembro, sobretudo, do meu melhor amigo de então, Seong Gi-hun. Não poderíamos ser mais diferentes: ele era uma grande pessoa, embora um pouco destrambelhado, e, certamente, ninguém o teria apontado como alguém muito brilhante nos estudos. Eu, em contrapartida, era sério, tímido e, sim, brilhante nas questões escolares.

Acho que se poderia dizer que ele era todo coração; e eu, todo cabeça.

Cabeça demais, talvez. Sempre suspeitei que, por mais que fosse eu quem supostamente teria um grande futuro pela frente, era ele quem desfrutava o momento muito mais que eu. Talvez eu devesse ter pensado um pouco menos no amanhã e um pouco mais no agora, como ele fazia (e continua fazendo).

Contudo, havia um campo em que Seong Gi-hun e eu estávamos igualados, assim como todos os nossos companheiros: o território marcado no chão pelas bordas traçadas com giz da figura do jogo da lula.

Entre aquelas paredes invisíveis, as únicas coisas que contavam eram a habilidade e, em certo grau, a sorte. Não havia ricos nem pobres, espertos ou tontos, simpáticos ou desagradáveis. No jogo da lula vencia sempre o melhor. Não, não o melhor. Agora que penso nisso, vencia quem tinha mais vontade de vencer.

Se você for mais jovem que eu, pode ser que nunca tenha ouvido falar no jogo da lula. É que não demorou a entrarem em desuso nas escolas, assim como outros tantos jogos da época, pois passaram a ser considerados muito violentos.

(Estaria mentindo se dissesse que não entendo esse ponto de vista; mas, por outro lado, o fato é que gerações e mais gerações de coreanos cresceram com jogos como o da lula e isso não nos causou mal algum.)

Enfim, a verdade é que Seong Gi-hun e eu mantivemos nossa amizade de companheiros de bairro muito além da escola. Acho que, em parte, é por isso que dizem que os opostos se atraem, embora eu tenha certeza de que as vivências que compartilhamos tiveram muito a ver com isso. Seong Gi-hun, como eu, sabia bem o que era crescer sem um pai.

218

"'Inveja'... talvez essa não seja a palavra adequada. Ou talvez sim, talvez seja a palavra exata."

É claro que mais de uma vez eu tive que tirá-lo dos inúmeros apuros em que se metia quando era adolescente, mas também ele me ajudou muito; por exemplo, graças ao seu apoio, e de sua família (além do meu expediente acadêmico, claro), consegui entrar na prestigiada Universidade Nacional de Seúl.

Embora fosse esse o meu sonho, não nego que em algumas coisas o invejava. "Inveja"... talvez essa não seja a palavra adequada. Ou talvez sim, talvez seja a palavra exata.

Sim, ele se conformou com um trabalho em uma fábrica de automóveis que eu nunca teria aceitado. Estava convencido de que meu destino era mais importante. Entretanto, enquanto eu estudava e estudava e nunca tinha tempo para me divertir ou para sair com garotas, ele tornou-se ajuizado, casou-se, teve uma filha; e era uma das pessoas mais felizes que eu conhecia.

Teria desejado viver sua vida? Não. Mas sua felicidade era invejável. Mais uma vez, ele parecia já ter conseguido tudo o que buscava, enquanto eu continuava me sacrificando por um amanhã que não se sabia quando chegaria.

Contudo, quis o destino que logo tudo mudasse.

Ele teve a má sorte de perder seu emprego. E digo "má sorte" porque se deveu inteiramente ao azar. Ele não fez nada errado nem pôde evitá-lo. E esse foi o começo do fim para Seong Gi-hun. Em pouco tempo, sua mulher pediu o divórcio, ele perdeu a custódia de sua filha, e seu vício em jogo acabou de afundá-lo.

Permita-me insistir que ele não teve nenhuma culpa no início de todas as suas desgraças. Porque só se você entender isso poderá me entender: é verdade que o dinheiro sempre foi o objetivo maior da minha vida; mas não porque eu goste dele em si mesmo ou porque deseje a vida de luxo que ele pode oferecer, como acontece com tantos outros.

No meu caso, o dinheiro sempre foi mais como um escudo da sorte.

Sim, exatamente: o dinheiro é um escudo contra o destino.

O dinheiro lhe permite não cair nunca nas mãos do acaso.

O acaso pode ser bom com você, mas, inevitavelmente, chega um momento em que se volta contra você. O dinheiro, não.

O dinheiro soluciona todos os problemas.

E, se não soluciona, é porque você precisa de mais dinheiro.

Ou, ao menos, eu pensava assim naquele tempo.

Assim, graças aos meus numerosos sacrifícios de tempo e de diversão, acabei finalmente meus estudos. E devo dizer que no começo tudo foi tal como me haviam prometido: logo encontrei trabalho em uma das melhores empresas de investimentos, e não demorei a formar minha própria carteira de clientes, que me davam grandes comissões.

218

"Ele parecia já ter conseguido tudo que buscava, enquanto eu continuava me sacrificando por um amanhã que não se sabia quando chegaria."

Sendo ainda muito jovem, eu soube (ou acreditei que soubesse) que nunca teria que me preocupar com questões de dinheiro. Era evidente que nunca me faltaria.

Mas saber que o dinheiro não vai faltar nunca é suficiente. Ou, ao menos, não era suficiente para mim. Já expliquei por quê. Desejava mais. Muito mais.

Embora, de novo, não saiba se essa é a palavra exata. Talvez não fosse tanto o fato de o desejar, mas sim de tê-lo na ponta dos dedos. Era muito tentador.

(Sim, sou muito consciente de que estou sendo um pouco contraditório. Qual era minha verdadeira motivação? Queria dinheiro para garantir minha segurança, ou simplesmente fiquei cego por seu brilho e não soube quando parar? Agora que estou me esforçando para ser sincero comigo uma vez, gostaria de poder dizer que sei qual é a resposta a essa pergunta.)

Uma coisa tenho que reconhecer: por mais que ganhasse com meu trabalho, não suportava a ideia de que isso era apenas um pequeno percentual do que eu conseguia que minha empresa ganhasse sem que nenhum de seus proprietários tivesse que fazer nada.

> **218**
>
> **"Talvez não fosse tanto o fato de o desejar, mas sim de tê-lo na ponta dos dedos. Era muito tentador."**

Então, de repente, compreendi algo. Não entendia como não tinha percebido isso antes: o mais importante que meus clientes me davam não era seu dinheiro, mas sim sua confiança.

Tinham me dado acesso a todas as suas fortunas. Eu tinha todas as senhas das contas, podia depositar e sacar à vontade.

Se fosse um pouco menos honesto, poderia ter roubado tudo e desaparecido em algum paraíso.

Mas é claro que nunca fui assim.

O que eu poderia fazer era tomar seu dinheiro emprestado.

Apenas por um tempo.

Eu o usaria para fazer meus próprios investimentos.

Investimentos que não poderiam dar errado.

Uma vez que tivesse ganhado montanhas de dinheiro com eles, apenas teria que devolver o que tinha retirado dos meus clientes e da minha empresa.

Nunca descobririam.

Não perderiam nada.

E eu, então, ficaria rico.

Espero que entenda que eu não tinha nenhuma má intenção. Apenas percebi que poderia obter um grande benefício sem causar mal a ninguém.

Visto dessa forma, quem resistiria à tentação?

Eram os tempos de *boom* dos mercados futuros. É complexo para explicar, e se você não tem formação financeira, só precisa saber duas coisas:

1. Consiste em investir em produtos básicos como o açúcar, o petróleo ou a água... mas com base no preço que alcançarão no futuro, não no preço que têm no presente (de fato, os mercados futuros nasceram para que os agricultores tivessem uma forma de ganhar dinheiro adiantado com o resultado de suas colheitas).
2. Os mercados futuros dão muitíssimos benefícios, mas em contrapartida correm-se riscos enormes. Há quem considere que hoje em dia não são éticos.

Em alguns países e em algumas épocas foram, inclusive, considerados ilegais.

O problema, claro, é que, se você faz uma jogada como essa e se dá mal, não só deixa de ganhar dinheiro, como também perde o dinheiro dos clientes. E, para recuperá-lo, tem que investir ainda mais. E mais. E mais.

E acaba devendo 6 bilhões de wons, como eu. Uma quantia que sabe que nunca poderá recuperar, sobretudo se algum cliente perceber a falta do dinheiro e a polícia começar a procurá-lo para lhe fazer algumas perguntas; embora eu saiba que, se me encontrarem, farão mais do que perguntas.

Se você encontrou estas anotações comigo, não é preciso que eu lhe explique como decidi fugir do problema.

Já terá me encontrado na banheira, e não precisamente tomando banho.

Não deixa de ser irônico que eu, especialista em matemática, e sendo alguém que jamais havia entrado em um cassino por saber as poucas possibilidades que existem de ganhar, tenha acabado fazendo algo muito parecido.

Mas dá no mesmo.

No fim das contas, agora vejo que a vida é apenas mais um jogo.

E, se você não sabe como ganhar, ao menos deve saber perder.

KANG SAE-BYEOK

Jogadora número 067

É como se tudo em minha vida estivesse partido na metade.

Como se uma espécie de faca gigante tivesse seccionado meu mundo inteiro em dois, e algumas coisas tivessem ficado de um lado, outras do outro, como uma maçã cortada em duas metades. E resta apenas um pontinho por onde as duas continuam unidas, que sou eu, e tento voltar a juntá-las, mas sinto que a qualquer momento vão separar-se do todo e não sei, então, o que será de mim...

Desculpe. Já me disseram outras vezes que sou um pouco intensa. E reservada. Que deveria rir um pouco mais. Que sou muito jovem para estar sempre sozinha, sempre com pensamentos obscuros na cabeça. É isso que me dizem, e sim, tenho apenas 25 anos, mas não sei qual é a idade boa para começar a ter pensamentos obscuros.

Olhe, vou confiar em você e contar coisas que nunca contei a ninguém. Acho que, se conseguir vencer um pouco minha timidez com uma amiga como você, talvez um dia também consiga com os outros. Pode ser que algum dia até possa levar uma vida normal. Por que não?

Sim, talvez em outra época eu risse mais. Talvez. Na verdade, não me lembro.

Você vai ver que minha primeira recordação é da família. Meus pais e meus avós, meu irmão, em nosso povoado, uma pequena comunidade agrícola. Não tínhamos muito – na verdade, não tínhamos quase nada –, mas acho que éramos felizes.

Até aqui é uma recordação bem normal, não é?

Mas receio que não.

Porque a recordação é de ver minha família queimando em uma fogueira.

067

"Já me disseram outras vezes que sou um pouco intensa. E reservada. Que deveria rir um pouco mais."

Sim, a primeira imagem que tenho em minha cabeça é de uma epidemia. Que adorável, não?

Naquele momento ninguém sabia que doença era aquela que estava levando tanta gente. Ninguém sabia o que fazer, como combatê-la, quem seriam os próximos a cair.

Como eu dizia, era um lugar pobre. Não tínhamos hospitais nem médicos. O exército veio nos ajudar. Alguns se alegraram. Mas eles não sabiam mais do que nós. Forçaram-nos a ficar em casa (como se houvesse muita gente com vontade de sair!), e não puderam fazer mais nada, além de fogueiras a cada manhã para os mortos da noite anterior.

Agora entendo perfeitamente. Naquelas circunstâncias, era uma medida de higiene básica. Embora, pelo que me lembro, preferiria qualquer outra, na verdade. A escuridão, as estrelas, o brilho do fogo crepitando, levantando uma coluna de fumaça densa, negra... Parecia o fim do mundo.

Claro que não foi.

Mas foi assim que perdi meus avós e meu irmão mais velho. Minha primeira recordação deles é também a última.

Foi aí que minha vida se partiu na metade pela primeira vez. Eles no além, ou onde quer que seja; meus pais, meu irmão pequeno e eu neste mundo, tangível, o único que conheço e que me importa.

Eu disse a você, minha amiga, que era um lugar pequeno e pobre. O que não contei é que não era neste país. Sim, mas não; outra coisa em que meu mundo está dividido também.

Estávamos na Coreia do Norte.

Não sei se você está familiarizada com a minha terra. Não sei nem mesmo se você é da Coreia do Sul ou não.

Se sim, você tem ouvido isso há anos, na escola, em casa, em todo lugar. Se não, aqui está uma versão breve: houve um tempo, muito antes de nós, mas não tanto, em que havia somente uma Coreia. Nem do Norte nem do Sul. Apenas uma.

Houve uma revolução, um levante, como queira chamar. Os ricos eram muito ricos; os pobres, muito pobres. As coisas sempre começam assim.

A questão é que isso acabou em guerra. Naquele tempo, o mundo inteiro se dividia em duas partes: uma formada pelos países capitalistas, e a outra pelos comunistas. Os dois lados sonhavam sobreviver ao outro e tentavam desgastá-lo.

Não havia um só conflito em que um desses blocos não apoiava um lado; e então o outro bloco, de imediato, apoiava o outro.

067

"Os ricos eram muito ricos; os pobres, muito pobres. As coisas sempre começam assim."

Assim outros países se envolveram e o conflito cresceu, cresceu. Cresceu tanto que, ao final, nenhum dos dois lados podia ganhar. E então decidiu-se aplicar uma solução literalmente salomônica: partir a Coreia em duas. Uma metade para cada lado. Mais uma coisa que também ficou partida pela metade.

Nós estávamos na metade do Norte, a comunista.

E não vou me meter em política, isso não me interessa, mas logo pareceu evidente que estávamos na metade "ruim". Ao menos na mais pobre. E triste. Era, e ainda é, uma ditadura selvagem. Assim, quando disse que vivia em um povoado pobre, talvez devesse dizer miserável.

Tanto que, algum tempo depois de perder meus avós e meu irmão, meus pais resolveram fazer o mesmo que muitos outros fizeram: ir para a Coreia do Sul, que de onde estávamos parecia muito próspera e moderna.

Mas deslocar-se de onde estávamos não era tão fácil como quando você vai viajar, querida amiga. Você pode tomar um avião e chegar aonde quiser em poucas horas. Nós, todos os cidadãos do Norte, éramos proibidos de sair. E, para que isso não ocorresse, ao final da guerra foi criada na fronteira uma faixa de terra de três quilômetros, cheia de minas e sempre muito vigiada; uma terra de ninguém impenetrável para garantir que as duas Coreias ficassem bem separadas.

Era impossível escapar por ali. Ainda assim, muitos conseguiam fugir de uma Coreia para a outra, mas para isso deveriam recorrer a infratores pouco confiáveis e muito caros que se encarregavam de retirar as pessoas por contrabando, passando pela China.

Como acontecia com todos que tentavam fugir, contratar essa gente nos custou tudo que tínhamos, e ainda teríamos que dar-lhes mais à medida que nos estabelecêssemos no Sul, meus pais conseguissem trabalho e ganhassem dinheiro.

Ainda assim, o risco de que algo desse errado era altíssimo.

Então, amiga, tenho certeza de que você já adivinhou: para nós tudo deu errado.

Logo depois de sair, o exército nos encontrou. E são muito duros com aqueles que consideram desertores. Abriram fogo sobre nosso grupo. Por sorte, nós nos perdemos em decorrência da noite e do matagal, mas muitos não sobreviveram. Entre eles, meu pai, que morreu crivado de balas.

Não tivemos tempo de chorar sua morte, ou sequer enterrá-lo. Os sobreviventes agora estavam sendo perseguidos, como se já não tivéssemos medo suficiente. Já não podíamos voltar atrás. Mais que nunca, éramos obrigados a chegar à Coreia do Sul.

Minha mãe, meu irmão pequeno e eu continuamos com o restante do grupo. Chegamos ao território chinês. A partir dali, viajaríamos uns quatro dias, camuflados, até chegar ao mar e tomar um barco que nos deixaria, por fim, no Sul.

O problema é que a China é aliada da Coreia do Norte e, se pegam desertores, devolvem-nos imediatamente, ou fazem algo ainda pior.

Em uma noite horrível nos descobriram.

De novo tínhamos que fugir. E, mais uma vez, perdemos pessoas pelo caminho. Dessa vez, por sorte, não houve mortos, mas eles pegaram minha mãe. Não se sabe que humilhações deve ter sofrido, mas a questão é que ela voltou ao Norte. Todo aquele êxodo não lhe serviu para nada, exceto para perder seus entes queridos. Apesar disso, estou convencida de que ela se consolava sabendo que seus dois filhos tinham podido continuar.

Querida amiga, não é preciso lhe explicar quão miserável foi o resto da viagem. Não tive tempo, outra vez, de me lamentar muito; tinha que cuidar do meu irmão, quase um bebê. Eu era tudo que ele tinha. E nesse momento acreditava que ele era tudo que me restava; assim, jurei cuidar dele a qualquer preço.

Não houve mais incidentes até chegarmos à Coreia do Sul.

No início, até nos receberam quase como heróis. Nas duas Coreias, todos os desertores do outro lado são bem recebidos. Isso os ajuda a vender a ideia de que seu lado é o bom.

Ainda assim, não foram tempos muito confortáveis. Vivemos alguns meses em instalações do governo para refugiados, que não se caracterizam precisamente por seus luxos. Mas não podíamos nos queixar; certamente estávamos muito melhor do que no Norte ou, pelo menos, no povoadinho miserável que eu conhecia.

Por ser menor, meu irmão acabou em um centro de acolhimento, um internato. Sei que ali lhe proporcionam todo o imprescindível e até recebe um pouco do carinho que necessita, embora ele me veja como uma traidora.

É que um dia, em que estava desconsolado, eu prometi a ele que recuperaria nossa mãe e nós três voltaríamos a viver felizes; claro que até hoje não consegui cumprir o prometido.

Mas o farei. Não sei como, mas o farei.

Para isso, vou precisar de grandes quantidades, justamente, do que não tenho: dinheiro.

Decidi que, diante da menor oportunidade, recorrerei de novo aos contrabandistas de pessoas, para que, desta vez, tragam minha mãe. Sei que não terei nenhuma garantia de que dê certo, mas não há outra alternativa.

Enquanto isso, essa situação significa outra divisão em minha vida: estou com meu irmão, mas ele está completamente ressentido comigo — com a mentirosa da irmã. E isso não se solucionará indo visitá-lo ou lhe comprando sorvetes.

E aqui, amiga minha, tenho que pedir a você que tente me compreender sem julgamentos. Porque depois percebi que, sem uma profissão nem estudos, nunca juntaria o dinheiro suficiente trabalhando de garçonete ou esfregando o chão. Por isso decidi ganhá-lo de forma ilegal.

Eu me tornei batedora de carteiras. Era a única forma de conseguir o que queria sem prejudicar ninguém, ou, ao menos, sem violência. Odeio a violência. Já tive o bastante disso para a vida toda. Minhas vítimas não sofrem dano físico. E, se faço bem o meu "trabalho", quando percebem o que aconteceu já estou longe e não tenho que presenciar a reação delas.

Não me saí bem logo no início, lógico. Mas, pelo visto, eu tinha talento para isso. Sou muito boa em uma das maiores virtudes do batedor de carteiras: conseguir que ninguém repare em mim.

067

"Assim acabei fazendo outra das coisas que sei fazer melhor: sair correndo. E sem olhar para trás."

Sou tão habilidosa que, ironicamente, logo alguém percebeu: Jang Deok-su, um pequeno chefe criminoso. Ele me viu em ação, gostou e me adotou em seu grupo de pequenos criminosos de rua.

É curioso, porque somos completamente opostos: ele é grande, barulhento, gosta de ser sempre o centro das atenções. Sem dúvida, alguém que quer passar despercebido não tatua uma serpente que percorre todo o seu corpo e cuja cabeça aparece no pescoço.

A questão é que comecei a trabalhar para ele, que ficava com uma boa parte do que eu conseguia, mas, em troca, obtive sua proteção e ajuda, o que é necessário no mundo selvagem do crime na Coreia.

Passei um tempo assim, roubando, economizando o que podia.

Mas, um dia, não aguentei mais.

Por favor, amiga, não me peça detalhes.

Basta dizer que chegou um momento em que eu não estava mais disposta a dar a Jang Deok-su algumas coisas que ele me pedia por sua proteção. E não estou me referindo a dinheiro.

Assim acabei fazendo outra coisa que está entre as que sei fazer melhor: sair correndo. E sem olhar para trás.

Por assim dizer, eu me estabeleci por conta própria. Hoje faço o mesmo que antes, mas completamente sozinha. Por mim, está perfeito.

Não necessito nem sinto falta de ninguém. Ou melhor, os únicos de quem necessito e sinto falta são dois: um está ressentido e mal fala comigo; e a outra se encontra a inalcançáveis quilômetros neste país que, na verdade, trata-se de dois países separados por três quilômetros de minas antipessoais.

Meu único objetivo é conseguir dinheiro suficiente para poder trazer minha mãe. Nada mais me importa.

Às vezes, entretanto, acho que seria bom ter alguma companhia, abrir-me um pouco com os outros.

É por isso que estou fazendo este exercício. Eu o vi em um livro: imagino-me escrevendo uma carta a uma amiga, explicando-lhe quem sou e como sou.

É apenas um exercício, claro. Na verdade, não há carta nem amiga. Era um teste para eu tentar me abrir mais para o mundo.

Acho que não me saí muito bem.

Não importa. Agora preciso deixar essas bobagens de lado e me concentrar. Estou aqui há horas, esperando alguém, que finalmente apareceu.

Preciso de dinheiro agora. Então me ocorreu que um bom lugar para praticar minha, digamos, profissão seria aqui, em uma sala de apostas. Claro que passam muitos perdedores, que saem sem nada, mas também alguns ganhadores. Estes últimos não tiveram que trabalhar muito para ganhar o dinheiro, não é? Não me sentirei muito culpada roubando-os.

Já tinha visto aquele que correu em minha direção sem olhar. Estava muito contente. Devia ter ganhado. Coloquei-me no meio do seu caminho. O choque era inevitável. Só precisei de um segundo para ficar com a sua carteira. Um pequeno corte enquanto estava distraído, e pronto.

067

"Claro que passam muitos perdedores, que saem sem nada, mas também alguns ganhadores."

Quase me senti mal. Depois de topar comigo, ainda parou para pegar o refrigerante que eu levava nas mãos e me devolveu. E outros homens o perseguiam. Tenho a impressão de que não está em uma situação muito melhor que a minha.

Enfim, o que está feito, está feito.

E agora me perdoe, mas tenho que deixar você.

Vou sair correndo.

OH IL-NAM
Jogador número 001

O dinheiro.

O dinheiro.

Sempre o dinheiro.

Alguns pensam que é uma condenação; outros, uma salvação.

001

"Eu sei o que o dinheiro é de verdade: uma armadilha."

Eu sei o que o dinheiro é de verdade: uma armadilha.

Você pensa no dinheiro para fazer mais dinheiro e poder deixar de pensar em dinheiro.

Mas, quando o tem, pensa ainda mais nele.

Onde estava?

Ah, sim.

Eu me lembro de alguns momentos felizes na minha vida. E todos foram antes do dinheiro.

Eu me recordo de um menino que jogava com seus amigos nas ruas do bairro operário de Ssangmun-dong.

As bolas de gude. O cabo de guerra. O jogo da lula. E tantos outros.

Lembro-me da minha casa, muito parecida com todas as outras da região. Pequena. Humilde. E feliz. Com pais que nunca tinham dinheiro sobrando, mas que trabalhavam honestamente e se encarregavam de que nunca nos faltasse nada.

Talvez hoje dissessem que meus pais eram muito rígidos. Mas não era assim. Eram pessoas responsáveis que ensinavam os filhos a serem iguais a eles. Pessoas que, apesar de tudo e com o suor do rosto, conseguiram pagar meus estudos na universidade, porque viram um potencial em mim.

Desde pequeno — e por que não reconhecer isso? — eu já era bom com números.

Assim, na adolescência, descobri uma grande verdade.

Do mesmo modo que ganhava as bolinhas de gude dos meus amigos, eu conseguiria uma grande posição na vida. Eu ganharia dinheiro.

E seria feliz.

Certo?

Dizem que a vida é dura.

Para a minha geração foi ainda mais.

Houve uma guerra mundial. Era a segunda.

Eu acreditava que era impossível isso acontecer de novo.

Afinal, muitos tinham vivido a primeira. Quem iria querer repetir algo assim?

No meu país foi pior que em outros lugares.

Depois de todo o sofrimento, acabou dividido em dois.

Os do Norte foram apoiados pelos chineses e pelos que hoje constituem a Rússia, que, naquele tempo, era ainda maior e chamava-se União das Repúblicas Socialistas Soviéticas. (Por que um país tão grande deveria se conformar com um nome curto?)

Os do Sul foram apoiados pelos grandes países do Ocidente, aqueles que são comandados pelos mercados, os capitalistas.

E eu descobri que, sendo bom com números, também era bom no capitalismo.

Foram tempos muito difíceis. Sempre é duro depois de uma guerra.

Houve fome e escassez. Muitas famílias tiveram que seguir adiante sem um filho, sem um marido, sem um pai.

E sem dinheiro.

Mas eu tinha dinheiro.

Porque nos cenários após batalhas é muito fácil consegui-lo, desde que você saiba como.

Criei negócios. Eles progrediram.

Então descobri que, se você tem dinheiro e os outros não, pode emprestar-lhes um pouco. E em troca eles lhe devolvem ainda mais dinheiro.

Ou seja, tornei-me um agiota. Vivi modestamente e investi tudo que tinha a fim de ganhar ainda mais.

001

"Então descobri que, se você tem dinheiro e os outros não, pode emprestar-lhes um pouco. E em troca eles lhe devolvem ainda mais dinheiro."

Minha fortuna cresceu tão rápido como meu filho. Mas quando meu filho cresceu o suficiente foi embora, como todos os filhos devem fazer. Minha fortuna, contudo, não se foi, continuou crescendo.

Alguns me acusavam de ser usurário. De ser mau.

Pouco me importava, os maus eram eles. Todos.

Vejam só! Perdi de novo o fio da meada.

Ultimamente isso acontece muito comigo.

Eu estava contando que os maus eram eles. Todos.

Nossa. Mais uma vez, me deu um branco.

Isso tem acontecido muito comigo.

Eu estava dizendo que eles que eram maus. Todos eles.

Logo vi isso.

Há quem tenha a ridícula ideia de que, no fundo, somos todos bons, que basta procurar um pouco para constatar isso.

Eu penso exatamente o contrário. E não é preciso procurar nada.

A pessoa é boa enquanto fala de coisas que, no fundo, não lhe dizem respeito. Mas todos se tornam maus assim que algo afeta minimamente seus interesses.

"É preciso ajudar os outros" — é o que lhe dizem. "Sim, desde que ajudar não me aborreça, não me importune, não interfira em minha vida" — é o que todos respondem.

Você tem que cuidar de si mesmo, porque ninguém fará isso por você.

E se, no fundo, todo mundo é mau, por que teria que ajudá-los? Não seria mais lógico usá-los, aproveitar-se deles o quanto pudesse e descartá-los ao acabar?

Mas não foi isso que fez com que me decidisse a criar minha obra, aquilo pelo que serei lembrado depois da minha morte; não por todos, claro, mas pelos poucos que a conhecem. Meu legado.

Não, não foi meu desprezo pelas pessoas que me levou ao desenvolvimento dos jogos.

Foi algo ainda mais simples, o tédio. O simples e puro tédio.

Quando você não tem nada, tudo que consegue é uma alegria, um estímulo para tentar conseguir mais.

Quando está ao pé da escada, sonha com a paisagem majestosa que observará lá de cima.

E, ao chegar, você aproveita por um tempo. Depois de apreciar mais um pouco, acaba se cansando.

E, depois de se cansar, fica entediado.

O mesmo acontecia com meus... eu ia dizer amigos, mas não sou do tipo que tem amigos. Meus conhecidos. Meus clientes. Como queira chamá-los. Gente que também tinha chegado ao topo da escada e agora se perguntava se não tinha mais nada, ansiava por um novo objetivo, algo novo a ser conquistado.

Então tive a ideia dos jogos e a propus a eles. E gostaram. A seguir pusemos as mãos à obra.

Você já conhece minha ideia de que todo mundo é mau. E meus amigos são ainda mais. São os piores de todos.

Por que não usar as pessoas para nos divertir? Por que não levar ao limite sua cobiça, seu egoísmo? Por que não ver até onde são capazes de chegar apenas por dinheiro?

Não obrigaríamos ninguém a participar dos jogos. Não iríamos enganá-los. Saberiam perfeitamente o que poderiam ganhar. E conseguiriam ou morreriam tentando. Levariam um grande prêmio, mas só depois de terem dado o pior de si mesmos.

"Por que não usar as pessoas para nos divertir? Por que não levar ao limite sua cobiça, seu egoísmo? Por que não ver até onde são capazes de chegar apenas por dinheiro?"

E nós, meus amigos e eu, faríamos as apostas. Tentaríamos adivinhar qual dos participantes seria o melhor em dar o seu pior.

Já diziam os antigos romanos: "o homem é o lobo do homem".

Meus amigos e eu criaríamos a maior alcateia já vista.

E nos divertiríamos pelo caminho.

Era, por certo, uma ideia atroz. Tão atroz que, obviamente, foi um sucesso imediato.

Primeiro aqui. Depois em outros países. Por fim, em todo o mundo.

Uma alcateia de lobos enlouquecidos corria pelo planeta, e era tudo criação nossa.

No fim das contas, o que importa? É apenas um jogo.

Perdoe-me de novo. É a minha cabeça.

Um intruso se meteu em minha cabeça e não me deixa pensar direito.

Começou com enxaquecas, cada vez mais numerosas, constantes. Com uma fraqueza que nunca abandonava o meu corpo.

O intruso se escondia dentro de mim.

Mas eu tenho dinheiro, lembra?

Pude pagar os melhores médicos para que me explorassem, examinassem, vissem o que havia dentro de mim usando poderosas armas feitas de luz e som, estudando os ecos em meu

001

"Quero pedir-lhe que aproveite o que ganhou de forma tão justa."

interior, penetrando minha carne com raios tão finos que chegam a ser invisíveis.

Paguei os melhores médicos para que caçassem o intruso dentro de mim.

O intruso era um câncer que crescia no meu cérebro, como um pássaro jovem, como uma serpente, em seu ninho, alimentando-se de tudo que o rodeava.

Um dia a serpente riu dentro mim, seu riso repercutiu na minha cabeça e ouvi seu eco zombeteiro.

"Seu dinheiro serviu para me encontrar, disse, mas não vai me tirar de você."

Os médicos me disseram que eu tinha um câncer cerebral e que não me restava muito tempo.

"Vamos viver juntos, continuou a serpente, vamos morrer juntos."

E assim estou agora. Confinado em uma cama, esperando o final. Vendo o mundo de cima. Vendo suas misérias.

Tive um último desejo. Pode chamá-lo de capricho de alguém cujo tempo está acabando. Quis ver de perto, participar dos jogos que tinha criado.

No começo não foi tão emocionante como eu esperava. Afinal, se já não me interessavam meus companheiros de jogo, muito menos me interessaria presenciar o que faziam.

Você pode até se enfiar no formigueiro, mas dificilmente terá uma formiga favorita.

Então conheci Seong Gi-hun. Ele me mostrou seu coração, ajudou-me sempre que pôde, inclusive quando não era conveniente para ele.

E por isso agora estou esperando sua chegada.

Lá vem ele, ouço seus passos.

Quero pedir-lhe que aproveite o que ganhou de forma tão justa.

Mas, sobretudo, quero me explicar.

Talvez compreenda, talvez não.

Tomara que compreenda que foi apenas um jogo.

E que, mais uma vez, como diziam os romanos: "o que não nos mata nos fortalece."

OS JOGOS
(e como ganhá-los)

Em *Round 6*, as provas são tão importantes e evoluem de forma tão complexa quanto os próprios personagens e a história.

Evidentemente, isso não é uma grande revelação. Mas é espetacular ver como na internet há tantos *posts*, entradas de *blog*, tuítes, tiktoks etc. dedicados a analisar as regras das provas e buscar maneiras de vencê-las, assim como há também sobre Seong Gi-hun ou Oh Il-nam.

Além disso, do mesmo modo que os personagens, os jogos também evoluem; são elaborados para ser cada vez mais cruéis. Não no sentido de fazer mais vítimas (nesse quesito o primeiro ganha, com mais de duzentos mortos), mas de exigir que, para ganhá-los, os jogadores devem se tornar cada vez mais inescrupulosos.

Nas primeiras provas, cada um deve se concentrar em vencer, sem necessidade de se preocupar com os demais.

Nas provas seguintes, formam-se equipes e, para ganhar, é preciso ser responsável pela morte de membros da outra equipe, mas você pode se justificar dizendo que está apenas ajudando seus companheiros.

Por fim, nos últimos jogos, você se vê forçado a acabar com outras pessoas diretamente, às vezes até mesmo com seus próprios companheiros de equipe.

Como já se sabe, as provas são inspiradas em jogos infantis coreanos. Alguns são iguais no mundo inteiro (como o cabo de guerra), enquanto outros, no Ocidente, parecem até ser de outro planeta (como o próprio jogo da lula).

Nestas páginas nos dedicaremos a analisá-los um a um; suas regras, estratégias, assim como formas de ganhá-los. Deve-se levar em consideração, evidentemente, que é muito mais fácil encontrar boas estratégias quando se tem todo o tempo do mundo e milhões de fãs nas redes dedicando-se a buscá-las. Os personagens da série, sem dúvida, não dispunham de nenhuma das duas coisas.

JOGO 0
Ddakji

Embora oficialmente não faça parte das provas de *Round 6*, é o jogo infantil usado pelo recrutador para colocar à prova os candidatos, por isso merece uma seção própria.

A primeira coisa que observamos neste jogo é a semelhança com os Tazos, pois se trata de lançar uma ficha –

neste caso, um envelope feito com duas folhas de papel – sobre outra e fazer com que, com o impacto, a ficha vire.

(Tazos é um jogo de origem havaiana que utiliza fichas redondas e se tornou muito popular em todo o mundo há alguns anos.)[2]

As regras

As regras básicas do *ddakji* são muito simples. Cada jogador tem uma ficha. Alternando a vez, cada um deixa sua ficha no chão para que em seguida o outro lance a sua de modo a tocar a ficha do adversário e, com o impacto, levantá-la no ar. Se, ao cair de volta, a ficha virar e cair com a outra face virada para cima, aquele que tiver lançado ganha. Se a ficha permanecer do mesmo lado em que estava, perde. Podem-se jogar quantos lançamentos se desejar, e o ganhador será aquele que tiver mais acertos. De forma alternativa, pode-se estabelecer um objetivo antes de começar e definir cinco jogadas (ou qualquer outra quantidade). Em *Round 6*, cada vez que um jogador acerta, recebe uma quantidade de dinheiro do outro; se acabar sem dinheiro, deverá se oferecer para receber um tapa. Por mais tentador que seja, não recomendamos jogar essa última modalidade com os seus

---

2. N. de T.: o Tazo, na forma de brinquedo colecionável, foi lançado no México em 1994 e exportado mundialmente pela PepsiCo. No Brasil, ele chegou por meio da Elma Chips, empresa que o distribuiu nacionalmente dentro das embalagens de seus salgadinhos, a partir de março de 1997.

amigos, principalmente se quiser que depois do jogo a amizade de vocês continue existindo.

Como fazer uma ficha de *ddakji*

Você vai precisar de folhas de papel A4 (o formato mais convencional disponível; melhor que seja um pouco grosso), tesoura e régua.

1. Pegue duas folhas e recorte em cada uma delas um quadrado de 21 x 21 cm.
2. Trace duas linhas verticais, de forma que o quadrado fique dividido em três retângulos verticais de 7 cm de largura cada um.
3. Com a ajuda da régua, dobre para dentro a parte da direita, de modo que cubra a parte do meio.
4. Ainda com a régua, dobre a parte da esquerda também para o meio, de forma que fique em cima das outras duas partes.
5. Dobre uma ponta de modo que forme um triângulo que fique por cima. Depois dobre a outra ponta da mesma maneira, mas fazendo o triângulo invertido (se o outro tiver ficado com a ponta para cima, este deverá ficar com a ponta para baixo).
6. Agora dobre os dois triângulos para dentro. O resultado será um quadrado com uma linha diagonal de um extremo ao outro.
7. Repita os passos 1 a 6 com a outra folha de papel.

8. Coloque um papel sobre o outro, um na posição horizontal e o outro na vertical, como se estivesse montando uma cruz (embora o resultado seja mais parecido a um cata-vento).
9. Vá então fechando os triângulos para o centro: primeiro o da esquerda, depois o de cima, então o da direita e por fim o de baixo. Coloque a ponta deste último para dentro, de forma que a ficha fique como uma peça fechada.
10. Agora você já tem sua ficha de *ddakji*. Talvez a primeira que você fizer fique muito mole; se for o caso, tente fazê-la de novo dobrando a folha com mais força.

Lembre-se: no *ddakji*, fazer bons lançamentos é tão importante quanto saber confeccionar uma ficha bem firme.

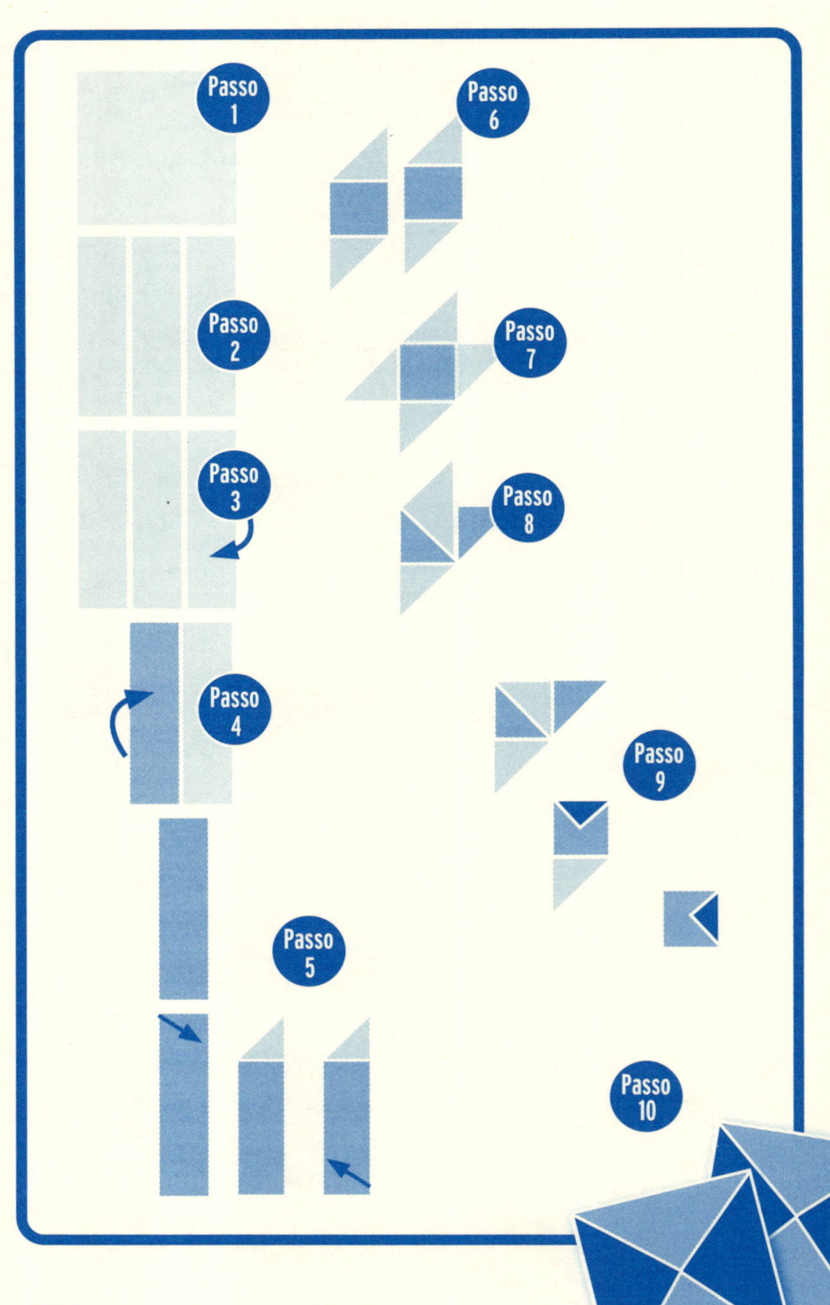
Passo 1
Passo 2
Passo 3
Passo 4
Passo 5
Passo 6
Passo 7
Passo 8
Passo 9
Passo 10

Como ganhar

Não importa o que você faça, terá de treinar bastante antes de dominar os lançamentos.

No entanto, existe um truque que lhe dará vantagem caso quem jogue com você não o saiba.

A impressão é de que para conseguir que a ficha caia do lado contrário você precisa lançá-la com a ponta para baixo. Mas, na realidade, você deve fazer o oposto: lançá-la de forma que seja a parte plana a tocar a outra ficha.

Da mesma forma, é preciso analisar o *ddakji*. Uma ficha mais plana tem mais possibilidades de se mover se você bater nas quinas, ao passo que uma mais grossa fará isso se você bater a mão no meio.

Se seguir esse truque e praticar bastante, você terá mais chances de ganhar. Mas não vamos enganar você: mesmo assim, o jogo é muito difícil!

JOGO 1
Batatinha frita 1, 2, 3

Você deve conhecer bem este primeiro jogo de *Round 6* que é disputado para valer, pois é quase exatamente igual ao nosso esconde-esconde.

Mas, claro, neste caso a brincadeira acontece com uma boneca gigante que controla os movimentos dos jogadores por meio de câmeras instaladas nos olhos e que já se converteu em um verdadeiro ícone da série, dada sua combinação de aspecto infantil e maldade.

As regras

O jogo acontece em uma área que tem o tamanho aproximado de um campo de futebol (conforme estimado por muitos fãs da série), isto é, entre 90 e 120 metros de largura. Em uma das pontas está a boneca, e na outra todos os competidores.

O objetivo dos jogadores é correr e chegar à linha de meta, que se encontra no nível da boneca, antes de cinco minutos.

Não se trata de ser o primeiro; trata-se de conseguir chegar. Não importa em qual posição.

Os jogadores só podem se mover enquanto a boneca fala, pronunciando repetidamente a frase "Batatinha frita 1, 2, 3". Quando ela acaba de falar, os jogadores devem ficar totalmente imóveis. O mínimo movimento enquanto a boneca está em silêncio é penalizado com a eliminação do jogador (e com isso queremos dizer que ele perde o jogo e a vida).

Para que a prova se torne mais difícil, a cada vez a boneca diz a frase em uma velocidade um pouco diferente e também muda o intervalo de silêncio entre as frases.

Apesar disso, o verdadeiro inimigo é o tempo total de jogo. Cinco minutos, com interrupções constantes, não é muito tempo para percorrer toda a distância.

Quem ganha e quem perde na série

Embora este seja o jogo com mais perdedores (ultrapassam o número de duzentos), todos os personagens principais alcançam a meta e passam para o jogo seguinte.

Como ganhar

Além de ter que ser rápido e saber como parar de repente, o maior obstáculo para o jogador é o restante dos participantes, que podem ficar no meio do seu trajeto, tentar pará-lo ou distraí-lo e, de modo geral, impedir seu avanço em linha reta.

O principal é evitar que as câmeras nos olhos da boneca detectem que você está se movendo quando ela para de falar. Para isso, como bem recomenda Cho Sang-woo a Seong Gi-hun na série, o melhor é colocar-se logo atrás de outro participante, de forma que ele cubra você e, se for o caso, que seja ele a receber os disparos. No entanto, como vemos, o terreno também está cheio de guardas por todos os lados, de maneira que é melhor não confiar muito nessa dica.

Quem sabe por isso a estratégia contrária possa ser mais produtiva: manter-se o mais colado possível em uma das margens do campo, assim não terá que se preocupar com as pessoas que estejam em uma das suas laterais, reduzindo pela metade a chance de que alguém o impeça de avançar. Ou, pelo menos, fique o mais longe possível do centro, porque a psicologia nos indica que, em casos similares, a maioria prefere manter-se ao máximo no meio do campo.

Em contrapartida, isso será muito visível para a boneca, de modo que você deve então garantir que conseguirá parar sempre muito bruscamente. Embora não haja muito tempo, vale a pena começar a fazer isso mais ou menos no meio da frase e não esperar pelo último segundo.

JOGO 2
Colmeia de açúcar (Ppopgi)

Ppopgi é o nome dos biscoitos de açúcar que vemos na série. Como tantas outras coisas em *Round 6*, eram uma tradição coreana perdida que, graças ao seu aparecimento aqui, retornou com força e, desta vez, no mundo inteiro.

As crianças costumavam comprar esses biscoitos em barraquinhas nas proximidades das escolas. Uma brincadeira consistia em ser capaz de comer um biscoito deixando intacto o desenho no centro; a criança que conseguisse ganhava outro e assim sucessivamente até que falhasse. A cada vez lhe era oferecido um biscoito com desenho mais complexo.

Como fazer um biscoito *ppopgi*

Você não esperava ver uma receita em um livro como este, não é mesmo? Pois estava enganado. Se você gosta de doce, ama cozinhar ou simplesmente fazer sucesso nas festinhas, não hesite: estes biscoitos são bem fáceis de fazer.

Ingredientes e utensílios:
(para fazer 4 ou 5 biscoitos)

- 6 colheres de sopa de açúcar branco
- 1/4 de colher de chá rasa de bicarbonato de sódio
- Uma colher de madeira
- Papel-manteiga
- Um rolo para massa
- Um cortador de biscoitos

Instruções:

1. Coloque o açúcar em uma panela e leve ao fogo baixo até caramelizar. Não deixe queimar, para o açúcar não ficar amargo.
2. Acrescente o bicarbonato de sódio com cuidado (fará bolhas que podem queimar) e mexa a mistura.
3. Despeje o caramelo ainda borbulhando sobre o papel-manteiga, dividindo a massa em 4 ou 5 biscoitos. Coloque outra folha de papel-manteiga sobre eles e amasse com o rolo até que fiquem finos como na série.
4. Antes que o caramelo endureça, use um cortador para marcar as formas que desejar, mas sem cortar os biscoitos (pressione suavemente, apenas para marcar o formato).

Coragem! Temos certeza de que, mesmo que não fiquem perfeitos logo na primeira vez, ninguém vai matar você por isso.

As regras

Inspiradas na brincadeira proposta pelos vendedores das barraquinhas, na série são simplificadas: cada jogador deve escolher um dos quatro desenhos centrais. Tendo em conta que não sabem como será a prova, também não sabem que lhes convêm as formas mais simples.

Com o biscoito, é entregue aos jogadores uma agulha, e eles têm dez minutos para recortar o desenho central sem quebrá-lo.

Quem ganha e quem perde na série

Assim como no jogo anterior, todos os personagens principais acabam superando a prova.

Como ganhar

Na série fica claro que são aceitas soluções criativas desde que se alcance o resultado (pois fica difícil imaginar que, com tanta vigilância, os guardas não as tenham visto).

Portanto, uma solução válida é aquecer a agulha para que corte melhor o biscoito, e a outra é lambê-lo de forma que fique mais mole e, assim, mais fácil de destacar a figura.

Contudo, se seguirmos fielmente as regras, a solução mais "fácil" (que mesmo assim, novamente, é tudo, menos fácil) consiste em arrancar primeiro os pedaços maiores das bordas e depois perfazer o desenho central com pequenas mordidas usando os dentes da frente.

Claro que, antes disso, o primeiro passo é escolher as formas mais fáceis, as que tenham menos ângulos e sejam mais retas. Esta seria a ordem de menor para maior dificuldade: triângulo, círculo, estrela e guarda-chuva. Mas lembre-se de que os competidores tiveram que escolher a forma sem saber o que teriam de fazer.

JOGO 2B
A luta da noite

Assim como no jogo do *ddakji*, esta não é oficialmente uma das provas, mas a maioria dos fãs a inclui entre elas. Afinal, ela foi tramada pelo Líder. O objetivo é acabar com os mais fracos e os perdedores são considerados "eliminados".

As regras

Neste caso, evidentemente, a única regra é que não há regra nenhuma. E o objetivo é sobreviver. Vale tudo para vencer.

Quem ganha e quem perde na série

Uma vez mais, todos os principais personagens sobrevivem; neste caso, porque ajudam uns aos outros.

Como ganhar

Em uma situação como esta (ou similar), há conselhos básicos de sobrevivência que podem resultar muito úteis. Eis alguns deles:

- △ É muito arriscado sobreviver sozinho. Se for possível, devem-se fazer aliados antes. Ajudar os outros pode dar frutos muito bons. Mas tenha cuidado, porque em circunstâncias assim você pode também encontrar alguns traidores.

- Se estiver tudo escuro, feche os olhos com força por alguns segundos e volte a abri-los. Isso fará que sua visão se adapte mais rápido e você consiga enxergar um pouco mais.
- O que o velho Oh Il-nam faz é, de fato, uma grande ideia: procure subir no lugar mais alto que encontrar. A ideia é que, se vierem atrás de você, eles também terão que subir ou escalar, e isso lhe dará vantagem para repelir o ataque, já que você estará mais seguro em sua superfície.
- Embora seja contraintuitivo (porque parece que quanto mais espaço você tiver para correr, melhor), convém ficar de costas para uma esquina. Com certeza a fuga será mais difícil, mas dessa forma você terá dois lados a menos para cobrir (principalmente a parte de trás, que é a mais difícil) e poderá se concentrar mais no que vier do outro lado ou pela frente.

JOGO 3
Cabo de guerra

O terceiro jogo é amplamente conhecido no Ocidente. De fato, é considerado um dos esportes mais antigos do mundo, sendo praticado desde o antigo Egito. Possui uma grande tradição, principalmente na Grã-Bretanha, e até foi esporte olímpico entre os anos 1900 e 1920. A versão coreana é conhecida como *jul parigi*.

Aparentemente, a única coisa que importa nesta prova é a força. No entanto, como vemos na série, a estratégia correta pode levar a equipe mais habilidosa à vitória, mesmo que a princípio pareça inferior.

As regras

Embora haja muitas variantes, as mais habituais são:

- △ Cada equipe conta com nove membros, oito que participam e um que, de fora, marca o ritmo (na série, as equipes são de dez e não há esse jogador externo). Como no boxe, existem categorias conforme o peso dos participantes, e, logicamente, equipes de categorias diferentes não podem competir entre si.
- △ Desenha-se na área de jogo uma linha para marcar o centro. Uma equipe se coloca a 4 metros da linha em uma direção e a outra a 4 metros na direção contrária, todos olhando para a linha central, de forma que ficam frente a frente (na série, para maior efeito dramático, os jogadores disputam sobre plataformas muito altas, com as equipes separadas por um abismo).

- △ Todos os jogadores seguram uma corda de 11 cm de espessura e 33,5 metros de largura. Quando é dada a partida, ambas as equipes devem puxar a corda na sua própria direção, tentando arrastar os outros para a linha central. Vence a equipe que conseguir que o mais avançado dos adversários se veja forçado a pisar a linha central ou além dela (na série, os perdedores caem no vazio quando uma guilhotina corta a corda).
- △ É obrigatório que os jogadores segurem a corda e a passem por baixo de uma das axilas. Não são permitidas posturas como pôr o cotovelo por baixo da altura dos joelhos.
- △ As partidas costumam acontecer no número de três (na série, claro, isso é feito somente uma vez, pois os perdedores morrem).

É claro que, quando se joga por diversão, não importa que a corda não seja da medida exata ou que as linhas não estejam a 4 metros; nem ao menos é preciso que haja o mesmo número de participantes nas duas equipes, desde que fiquem mais ou menos igualadas.

Quem ganha e quem perde na série

Já que tanto a equipe dos jogadores "bons" quanto a equipe dos "ruins" formam seus próprios grupos e permanecem unidas, todos sobrevivem à prova. Se não fosse assim, a série acabaria muito antes!

Como ganhar

Neste caso, as estratégias são justamente aquelas que Oh Il-nam diz na série e que Cho Sang-woo improvisa durante o jogo.

- △ O líder da equipe (o que está à frente) deve ser firme e decidido. É o único membro cujo rosto pode ser visto pelos demais, e caso pareça fraco ou denote falta de confiança animará psicologicamente os adversários.
- △ O último membro, o que fica atrás de todos, deve ser muito forte e confiável (na série escolhem Abdul Ali) porque é a última linha de resistência. Aliás, embora hoje seja proibido, este último poderia, em vez de segurar a corda, amarrá-la na cintura, favorecendo sua força. Quem sabe, se você for jogar, a outra equipe não saiba que agora não se pode fazer dessa maneira?
- △ Manter sempre os pés retos e apontando para a frente, para conservar melhor o equilíbrio.

- △ Também para resistir mais, convém que um jogador se coloque um pouco à esquerda da corda, o seguinte à direita, o seguinte de novo à esquerda etc.
- △ Durante os primeiros segundos, o melhor objetivo é não tentar ganhar, mas sim resistir, não se mover. Para isso, o ideal é esticar-se ao máximo para trás, com a barriga para cima e até ver o jogador que está atrás. Se a equipe adversária não conhecer esse truque, seus membros ficarão desanimados ao ver que não é possível mover os oponentes e acabarão reduzindo a intensidade, momento em que sua equipe deve aproveitar para puxar com todas as forças.
- △ A chave para vencer é aproveitar esse momento de fraqueza dos adversários e fazer que percam o ritmo. Na série, na metade do jogo decidem dar alguns passos à frente, de forma que pegam os outros de surpresa e ganham.

JOGO 4
Bola de gude

Este é outro jogo que no Ocidente conhecemos bem. Ou deveríamos dizer "jogos", no plural, porque, excepcionalmente na série, pedem a cada participante que consiga as bolinhas de gude do seu adversário como desejarem, desde que não usem meios violentos para isso.

As regras

Os jogadores, divididos em duplas, escolhem um destes três jogos clássicos:

Par ou ímpar

Em primeiro lugar, os jogadores decidem de quem será a primeira vez e o que irão apostar (pode ser uma bola de gude a cada acerto, ou também todas as bolas que o outro colocar na sua vez etc.).

- △ Cada jogador coloca a quantidade de bolas de gude que deseja, entre uma e três, na palma da mão, e fecha o punho para que seu adversário não veja quantas possui.
- △ O objetivo é adivinhar se o número total de bolas de gude entre os dois será par ou ímpar. O jogador de quem é a vez escolhe e registra se acertou ou não.
- △ Na próxima jogada, os dois voltam a colocar na mão fechada quantas bolas de gude desejarem, e agora é o outro jogador que escolhe se o número total será par ou ímpar.
- △ Continuam jogando, cada um na sua vez, até que um dos jogadores fique com todas as bolas de gude do seu adversário.

Imba ou Loca

- △ Este é um jogo muito tradicional e com dezenas de variantes. Na série, joga-se uma versão bastante simplificada.
- △ Joga-se na terra. Antes de começar, deve-se fazer um pequeno buraco no chão, de forma que possam caber nele várias bolas de gude bem soltas, e traçar uma linha a cerca de 3 metros de distância.
- △ Os jogadores, um de cada vez, lançam uma bola de gude a partir dessa linha. O objetivo é acertar o buraco ou chegar o mais perto possível.
- △ Cada bola de gude enlocada conta como um ponto para o dono da bola. Isso é importante porque, ao final de várias jogadas, o chão estará cheio de bolas de gude, e se por erro uma bola de gude sua acertar uma do adversário e esta última for parar no buraco, o ponto

continuará sendo do dono, não daquele que jogou. E isso é exatamente o que acontece na série.

- △ Quando acabam de jogar todas as bolas de gude, aquele que tiver mais bolas dentro do buraco ganha e fica com aquelas que eram do adversário.

Lançamento

- △ É traçada uma linha no chão, a alguns metros de uma parede, um meio-fio alto etc.
- △ Os jogadores, um de cada vez, lançam sua bola de gude contra a parede. O objetivo é que chegue o mais próximo possível dela. Não importa se não encosta ou se encosta e volta; o que conta é a posição final da bola de gude.
- △ São feitas tantas jogadas quantas tenham sido decididas previamente. Ganha aquele que tiver uma bola de gude mais próxima da parede.
- △ Se isso for acordado antes entre os jogadores, vale lançar uma bola de gude contra outra já lançada a fim de aproximá-la mais ou para distanciar uma bolinha do adversário.

Quem ganha e quem perde na série

Neste jogo são feitas as primeiras vítimas entre os protagonistas: são Abdul Ali, o velho Oh Il-nam e a jovem Ji-yeong. Ou, pelo menos, é o que parece...

Como ganhar

Em primeiro lugar, é preciso dizer que nesse caso as instruções são muito gerais. De fato, ainda que o objetivo seja obter as bolas de gude do outro sem violência, ninguém os obriga a jogar; poderiam usar qualquer outro método. Ou, como apontou alguém no Tik Tok causando grande alvoroço, devem pegar as bolas do adversário, mas nada os obriga a conservar as suas próprias bolas. Portanto, apenas teriam que trocá-las ("eu dou as minhas para você e você me dá as suas"). Os dois ganhariam!

JOGO 5
A ponte de vidro

Esta é a única prova que não parece inspirada em uma brincadeira de criança, embora poderia ser comparada de forma distante com algum jogo do tipo amarelinha. No entanto, certamente, sua única razão de ser é que é a mais espetacular de todas.

As regras

O jogo é disputado sobre uma passarela suspensa a uma grande altura, formada por dezoito placas, dispostas em duas fileiras de nove placas cada uma. Todas elas são de vidro, mas metade delas pode suportar o peso de duas pessoas e a outra metade irá se quebrar com o peso de uma só, precipitando no vazio quem pisar nela.

O objetivo é cruzar a passarela e chegar com vida ao outro lado.

Participa um jogador de cada vez, na ordem estabelecida previamente.

Quem ganha e quem perde na série

Entre outros jogadores, morrem Kim Si-hyun (o pastor), Jang Deok-su e Han Mi-nyeo. Só permanecem vivos Seong Gi-hun, Cho Sang-woo e Kang Sae-byeok.

Como ganhar (ou não)

É claro que as placas de vidro não são renovadas depois da passagem de um jogador, de maneira que é melhor ser o último a cruzar. No entanto, logicamente, os jogadores não sabem disso na hora de definir quem irá jogar primeiro.

Na série, quando um dos participantes se mostra capaz de distinguir os dois tipos de placas simplesmente olhando, apagam-se algumas luzes para que não possa fazer isso. E também não há suficientes objetos pequenos para jogar sobre as placas da frente e ver se ressoam diferente. Quem sabe como seria se pudessem amarrar um barbante a um deles e recuperá-lo para usar novamente?

Mas a verdade é que ninguém até agora encontrou uma estratégia útil; o jogo é pura sorte. O único conselho (muito óbvio) é que, além de ser impossível detectar as placas certas, o jogador deve se concentrar em outro fator: o tempo. E mais lógico ainda: que não o perca decidindo o que fará, pois isso não irá lhe servir de nada. Pule e seja o que Deus quiser.

JOGO 6
O jogo da lula

A última prova, como não podia deixar de ser, é o jogo da lula, que vimos no começo da série e que leva alguns dos protagonistas a se recordarem de sua infância; atualmente não se joga mais porque é considerado muito violento.

Em sua versão original, o jogo é disputado por times de quatro pessoas ou mais; no entanto, na versão que vemos no final da série, os participantes são apenas dois, claro.

As regras

- Antes de qualquer coisa, deve-se desenhar no chão a forma da ilustração (modelo na página 121), em um tamanho que não é especificado mas que deve permitir jogar de forma cômoda.
- Os participantes combinam (ou decidem tirando a sorte) quem será o "atacante" e quem será o "defensor".
- O objetivo do atacante é driblar a defesa e pisar a cabeça da lula, para ganhar. Começa com uma dificuldade: deve-se

jogar pulando numa perna só até alcançar o pescoço da lula. Ao conseguir fazer isso, deve exclamar "Inspetor secreto", e a partir daí pode usar os dois pés.

- △ Para ganhar, o defensor deve tirar o atacante para fora do desenho da lula.
- △ Os jogadores são desclassificados e devem se retirar caso pisem as linhas do desenho ou sejam empurrados para fora da área de jogo, bem como se usarem os dois pés antes de estar autorizados a fazê-lo (no caso dos atacantes).
- △ Não há limites de tempo nem restrições quanto à violência que se pode empregar. Vale tudo. Se chegam a uma situação em que um dos jogadores não pode continuar (na série, se um dos competidores morre), o que fica em pé ganha.

Quem ganha e quem perde na série

O ganhador da prova e da competição, e único sobrevivente, é Seong Gi-hun.

Como ganhar

É importante ter em conta que, na prova final, os dois jogadores vão armados com facas. Isso muda tudo e invalida possíveis estratégias segundo o jogo original.

OS NÚMEROS DE *ROUND 6*

Alguns números marcantes para entender um fenômeno sem precedentes

17/9/2021

foi a data de estreia da série.
Todos os incríveis números que você vê aqui foram alcançados em apenas 1 mês!

1,8

milhão de euros foi o custo de produção de cada episódio, convertendo *Round 6* na série coreana mais cara da história.

2009

foi o ano em que acabou de ser escrito o primeiro roteiro da série. Depois disso foi rejeitada por inúmeras produtoras antes de contar com o sinal verde da Netflix.

32.841.949

Esse é o valor em euros dos 45.600 milhões de wons do prêmio, segundo divulgado pela Netflix.

CENTENAS

de figurantes em cena durante o jogo Batatinha frita 1, 2, 3. Em sua busca pelo máximo realismo, o criador e diretor da série, Hwang Dong-hyuk, negou-se a acrescentá-los por computação gráfica: todos os personagens que vemos estavam ali.

0,00038%

eram as chances de o primeiro competidor vencer no jogo da ponte de vidro.

2,24

milhões de euros é o total que se diz que Lee Jung-jae (Seong Gi-hun) cobrou para participar da série. Ainda assim, não chegou a superar os 361 mil euros que Kim Soo-hyun recebeu por cada episódio de *Tudo bem não ser normal*.

4.000

por dia foi o número de ligações recebidas pelo dono do telefone que aparecia no cartão de visitas do recrutador dos jogos. Depois disso, a Netflix apagou o número e hoje se vê um número falso.

7.800%

foi o aumento das vendas dos tênis Vans que os competidores usam na série.

30

centavos de euro é o valor correspondente aos 456 wons que foram doados por milhares de fãs da série após descobrirem que o número da conta que aparece era o número real de um dos produtores. Depois disso, essa informação foi alterada.

MEIO BILHÃO

de dólares é o que a Netflix destinará para novas séries coreanas após o sucesso de *Round 6*. "As séries mais autênticas são as que melhor viajam", diz a produtora.

20

milhões é o número de seguidores que Jung Ho-yeon (Kang Sae-byeok) alcançou no Instagram em menos de um mês após a estreia da série. Antes ela tinha 400 mil seguidores por causa de seu trabalho como modelo.

27.200

milhões de euros é o valor exigido pela operadora coreana SK Broadband, afirmando que esse foi o custo do aumento do tráfego da internet por causa da Netflix, que aumentou 24 vezes devido ao sucesso principalmente de *Round 6*.

6

foi o número de dentes que o criador da série, Hwang Dong-hyuk, perdeu em virtude do estresse de escrever e dirigir cada episódio.

142

milhões de espectadores já haviam visto a série apenas um mês depois da sua estreia (até então o recorde eram os 82 milhões de *Bridgerton*). Incrivelmente, este número foi superado pouco depois pela terceira temporada de *You*.

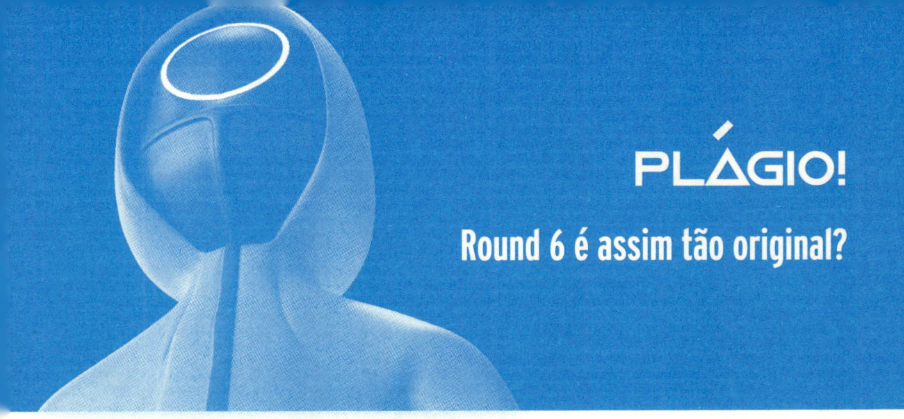

PLÁGIO!

Round 6 é assim tão original?

Um dos sinais do grande sucesso de uma série é a acusação de plágio.

Não necessariamente se faz isso com má intenção. Hoje em dia, a quantidade de histórias contadas no mundo todo em séries, livros, filmes, HQs, videogames e nas redes sociais é algo sem precedentes. Todos os dias, são publicados milhares e milhares de relatos, e a cada um de nós chega apenas uma mínima fração.

Neste contexto, é impossível evitar que algumas nos façam lembrar de outras, e que se pareçam um pouco. É claro que há casos em que isso não é coincidência. Em *Round 6*, além disso, há um mal-entendido que favorece essas comparações.

É que, em vários países asiáticos, as histórias de "jogos de sobrevivência" são um subgênero habitual. Para nós do Ocidente, que não costumamos ver essas narrativas com tanta frequência, pode parecer que duas obras dessa mesma categoria são semelhantes demais. Mas isso seria quase como dizer que *Crepúsculo* é uma cópia do *Drácula* porque ambas pertencem ao subgênero de "histórias de vampiros".

Por isso, deve-se estudar muito bem cada acusação e decidir se é verdadeira e se as obras se assemelham o suficiente a ponto de poder falar de plágio.

Dito isso, não faltaram acusações para *Round 6*.

Seu criador, Hwang Dong-hyuk, costuma responder que já tinha a série pensada em 2009 e que algumas das acusações são de obras posteriores.

Compartilharemos aqui algumas dessas acusações, aquelas que mais se destacaram. Julgue você mesmo.

BATALHA REAL

Título original: Batoru rowaiaru

Japão, 2000

O filme se baseia no mangá de mesmo nome, que por sua vez é uma adaptação do romance de Koushun Takami, publicado em 1999.

Ambas as versões nos contam uma história ambientada em um Japão alternativo mas muito parecido ao do nosso mundo. Todos os anos, o governo ditatorial decide organizar alguns jogos, a Batalha Real, nos quais vários estudantes de ensino médio são escolhidos e enviados para uma ilha com a missão de matar uns aos outros. Os jogos foram criados para fazer com que as pessoas não confiassem umas nas outras e, dessa forma, evitar possíveis rebeliões.

Hwang Dong-hyuk, o criador da série, explicou diversas vezes que a escreveu influenciado por vários mangás, entre eles este.

No entanto, a única semelhança real dessa obra com *Round 6* reside justamente nisso, no fato de que se trata de alguns jogos e que os personagens se matam entre si.

JOGOS VORAZES

Título original: The Hunger Games

Estados Unidos, 2012

Esta série de longas-metragens baseia-se na trilogia de romances de mesmo nome da autora Suzanne Collins, sendo o primeiro deles publicado em 2008.

É difícil compará-los diretamente com *Round 6*, porque *Jogos Vorazes* já foi acusado na época de ser um plágio de *Batalha Real* (e é bem evidente que apresentam muito mais semelhanças entre si do que em relação à série da Netflix).

Em um futuro mais ou menos próximo, após uma guerra devastadora, o governo cria os Jogos Vorazes, nos quais obriga vários adolescentes escolhidos aleatoriamente a competirem até a morte.

Como vemos, com exceção do fato de ter a palavra "jogo" no título original (assim como no nome original de *Round 6*)[3] e de o primeiro livro ter aparecido justamente na época em que Hwang Dong-hyuk disse ter criado a série, as semelhanças são muito poucas.

AS THE GODS WILL

Título original: Kamisama no iu tôri

Japão, 2014

Inspirada no mangá de mesmo nome, publicado entre 2011 e 2012, no qual uma série de bonecos infantis tradicionais aparece de repente em uma sala de ensino médio e obriga os estudantes a combaterem entre si por meio de jogos mortais.

Não se acusa *Round 6* de ser um plágio completo, mas há importantes semelhanças visuais: alguns dos bonecos são enormes e lembram a boneca do jogo Batatinha frita 1, 2, 3. E, como se fosse pouco, uma das provas é quase igual.

Seja como for, *As the Gods Will* possui um tom muito diferente, grotesco, distante da atmosfera de seriedade em que se desenrolam tanto *Round 6* como outras obras de "terror de sobrevivência".

---

3. N. T.: Aparentemente, a série *Round 6* recebeu este nome somente no Brasil e no Canadá. O título original coreano *Ojingeo Geim* foi traduzido como "Jogo da Lula", forma pela qual a série ficou conhecida também no restante do mundo: em Inglês, *Squid Game*; em espanhol, *El Juego de Calamar*; em francês, *Le jeu du Calmar*.

ALICE IN BORDERLAND
Japão, 2020

Esta série (que, aliás, também é da Netflix!), embora ainda esteja em andamento em 2021 e seja muito recente para ter inspirado *Round 6*, baseia-se em um mangá que começou a ser publicado em 2010. Nela, as três protagonistas adolescentes ficam entediadas e desejam viver em outro mundo mais emocionante. De alguma forma isso se torna realidade e elas aparecem então em uma versão pós-apocalíptica da cidade em que vivem, onde se encontram com uma mulher que lhes informa que para sobreviver ali é preciso participar de uma série de jogos mortais.

Há outras obras que afirmam ter inspirado *Round 6*, totalmente ou em parte. Em sua maioria, como estas, parecem mais relacionadas entre si do que com a série: todas têm protagonistas muito jovens e fazem mais o estilo "terror adolescente", com um pé em clássicos do gênero como *Sexta-feira 13* ou *A hora do pesadelo*.

É fato que todas elas apresentam semelhanças com *Round 6*, embora sejam apenas parciais. Parece muito exagerado acusá-la de plágio, como fizeram vários usuários das redes sociais, mas não se pode descartar que haja algum elemento inspirado nelas, embora muito limitado e transportado para uma história com um clima totalmente diferente.

A nós particularmente interessam outras inspirações, mais evidentes, ainda que menos espetaculares, como veremos na próxima seção.

AS INSPIRAÇÕES

O rastro indelével de outros diretores em *Round 6*

O crítico espanhol de cinema, Alejandro G. Calvo, ao comentar as produções sul-coreanas atuais, disse que nas entrevistas que fez com seus diretores sempre perguntava quem eram os seus mestres, aqueles que os inspiraram, e que sempre esperava que mencionassem os grandes nomes do cinema asiático. Invariavelmente, porém, esses diretores citavam autores norte-americanos, como David Lynch, Martin Scorsese ou Sam Peckinpah.

Hwang Dong-hyuk não é uma exceção.

E é fato que, vendo suas obras, a inspiração fica muito clara.

Aqui mencionamos alguns criadores que influenciaram o estilo do diretor de *Round 6*, embora, como ocorre com todo grande artista, haja muitos outros.

☐ STANLEY KUBRICK

Talvez o diretor mais perfeccionista da história, Kubrick se caracterizou por usar muitos planos estáticos, sem abusar das montagens rápidas e dando uma singular solenidade a cada cena, além de aproveitar todo tipo de criações culturais, como pinturas ou música clássica, e cuidar ao máximo até do mínimo detalhe estético. Isso lhe soa familiar?

Kubrick dirigiu filmes de todos os gêneros e criou diversos clássicos, de *Lolita* até *Dr. Fantástico* ou *2001: Uma odisseia no espaço*. Seus filmes com toques mais violentos (*O iluminado* e *Laranja mecânica*) têm muitos momentos cuja estética é digna de *Round 6*.

☐ DAVID LYNCH

Embora, em linhas gerais, Lynch seja um autor quase surrealista que gosta de ocultar informações do espectador e cujos filmes apresentam um enredo quase incompreensível à primeira vista, o diretor de clássicos como *O homem elefante*, *Veludo azul*, *Mulholland Drive* ou a série de televisão *Twin Peaks* trata a violência visual de um modo cru e extremo, frequentemente entre outras cenas muito lentas e estáticas, para que o resultado seja ainda mais impressionante.

Mas sua obra compartilha do tom de *Round 6* sobretudo no fato de que ele adora combinar essas cenas com outras de humor absurdo, com reflexões metafísicas. Definitivamente, suas criações são um constante mix de estilos que, na verdade, exige que seu diretor seja muito genial para que funcionem juntos em vez de arruinar um ao outro.

☐ SAM PECKINPAH

Peckinpah é considerado por muitos o pai da ultraviolência no cinema comercial. Muitas de suas grandes obras, como *Sob o domínio do medo* ou *Meu ódio será tua herança*, foram consideradas muito polêmicas durante os anos 1970 precisamente por isso.

Uma de suas marcas registradas era que as explosões de violência surgiam após longas cenas muito lentas nas quais se anunciava a tragédia, de forma que o espectador já estava completamente tenso no momento em que começava a matança. E ele não economizava em mostrar sangue, às vezes jorrando aos montes (embora isso hoje em dia já tenha se tornado habitual no cinema).

Peckinpah levava a violência muito a sério e acreditava piamente que as cenas em que lançava mão dela tinham que deixar o espectador em choque e levá-lo a pensar. Ela nunca deveria ser gratuita ou tratada de forma trivial.

☐ MARTIN SCORSESE

Outro dos diretores mais admirados da história (dizem que ele "transpira cinema") criou grandes clássicos, como *Taxi driver – motorista de táxi*, *Os bons companheiros*, *Touro indomável* e *O lobo de Wall Street*.

No seu caso, a forma como trata a violência – e há muita em seus filmes, pelo menos em algumas de suas obras mais conhecidas – é igualmente forte porém mais exuberante, mais imprevisível, mais inesperada e exagerada.

Além disso, Scorsese concebe suas produções de uma forma que chamam "operática". Um virtuoso dos movimentos de câmera, ele gosta que tudo seja o mais espetacular possível. Tudo em sua obra vai aos extremos, é exageradíssimo, mas com um conhecimento tão perfeito da linguagem cinematográfica que o resultado é, com frequência, genial.

☐ QUENTIN TARANTINO

Tarantino, o mais atual desses autores, já tem garantido um lugar de honra na história do cinema graças a filmes como *Cães de aluguel*, *Pulp fiction: tempo de violência* e *Kill Bill*.

Genial tanto como diretor quanto como roteirista, seu lema, segundo ele mesmo diz, é criar cada filme como se fosse o último, não deixar nada de fora e levar cada história, cada cena, até suas últimas consequências. Tudo nele é intenso (ou cansativo, segundo os poucos detratores do seu trabalho).

Assim como acontece com a maioria dos espectadores de *Round 6*, acabamos de assistir cada um de seus filmes com a ideia de que poderia ser melhor ou pior, mas que ninguém mais poderia ter extraído tanto dali.

Outra de suas características, é claro, consiste em ir pela tangente em cenas que parecem a princípio pouco relacionadas com o restante do filme, com um humor nada sutil mas muito eficiente, algo em que é preciso ser muito bom para que o espectador não perca o respeito pela obra.

□ DAVID FINCHER

Embora agora tenha se diversificado muito em outros gêneros, Fincher tornou-se imensamente popular com dois longa-metragens: *Seven: Os sete pecados capitais* e *Clube da luta*.

Ambos são histórias em que não apenas há violência em abundância, como também se combinam com perfeição duas sensações teoricamente opostas: o máximo realismo para contar histórias quase inacreditáveis (no melhor sentido), cujas premissas poderiam ter sido desastrosas nas mãos de um autor menor.

Esta é uma característica que compartilha com *Round 6*: conseguir que você mergulhe em uma história que, por si só, é exagerada demais para parecer real.

Tanto Fincher como Hwang Dong-hyuk conseguem esse feito fazendo que seus personagens sejam muito realistas, muito congruentes com suas próprias ações, de forma que ao espectador não sobra outro remédio senão identificar-se com eles e com seus atos.

E, mostrando-se muito cruel com tudo o que lhes faz passar, consegue despertar nossa empatia em relação a eles.

A ARTE IMITA A VIDA

Os segredos de Hwang Dong-hyuk, o verdadeiro Líder por trás de *Round 6*

Hwang Dong-hyuk não gosta de rotina. Por isso, seus filmes são tão diferentes entre si. E é também por isso que, quem estiver buscando obras suas parecidas com *Round 6*, irá sofrer uma grande decepção.

E não é isso que irá importar muito para ele. Sua própria vida é todo um canto à independência, a ser fiel a si mesmo, a suas ideias e, sobretudo, a sua visão artística.

De fato, como sempre diz, o protagonista da série poderia ter sido ele próprio. Nascido em Ssangmun-dong, o mesmo bairro operário da Seul de Seong Gi-hun e Cho Sang-woo – e onde sua mãe também tinha uma pequena peixaria –, durante sua infância não tinha muito dinheiro, embora tenha conseguido estudar na Universidade Nacional de Seul e sofrido pressão por parte de todos aqueles que haviam profetizado que ele teria um brilhante futuro e, por isso, esperavam muito dele. Novamente, da mesma forma que Cho Sang-woo.

Não demorou muito para poder se dedicar à sua grande paixão, o cinema. Depois de alguns curtas, dirigiu seu primeiro longa-metragem, *Meu pai* (*Ma-i pa-deo*), em 2007, que não alcançou nenhum destaque.

Como ocorre tantas vezes, para chegar ao topo do sucesso, primeiro teve que passar pela época mais dura da sua vida.

△ NÃO É FÁCIL CONSEGUIR QUE APOSTEM NUM JOGO DE VIDA OU MORTE

Após o fracasso do seu primeiro filme, Hwang Dong-hyuk se viu em sérias dificuldades econômicas e teve que depender da ajuda de sua mãe ("embora eu nunca tenha chegado a roubar dinheiro dela", conforme esclarece nas entrevistas).

Passava muitas horas em bares e cafeterias nerds onde se podem ler HQs e mangás. Viu-se então atraído por obras como *Liar Game*, *Tobaku Mokushiroku Kaiji* e *Batalha Real*, histórias violentas de sobrevivência tipicamente japonesas nas quais grupos de pessoas têm que lutar entre si para alcançar um objetivo ou um prêmio.

Mais de uma vez ele desejou que existisse de verdade alguma competição desse tipo na qual pudesse ganhar o dinheiro que desejava. Na falta disso, durante uma época se dedicou a apostar em corridas de cavalo.

Um dia teve uma grande inspiração: converter aquela situação que estava passando em uma história. E assim, entre 2008 e 2009, escreveu o primeiro roteiro de *Round 6*.

Nesse mesmo espírito decidiu dar aos personagens nomes reais: Seong Gi-hun, Cho Sang-woo, Oh Il-nam e Hwang Jun-ho eram todos amigos seus, e Hwang In-ho é o verdadeiro irmão mais velho desse último.

Contudo, uma vez concluído o primeiro roteiro, o projeto não chegou a público. Foi recusado por inúmeras produtoras, que o acharam muito violento e irreal.

Hwang Dong-hyuk teve que congelar o projeto. E, de certa forma, não lamentou esse fato, pois pouco tempo depois viria a ter seu primeiro grande sucesso.

△ UM FILME QUE LITERALMENTE MUDOU A VIDA DE MUITA GENTE

O sonho de muitos diretores é criar uma obra que tenha impacto e melhore a vida de pessoas reais no mundo real. Hwang Dong-hyuk conseguiu isso muito rapidamente, com seu segundo filme.

Do-ga-ni (*Em silêncio*, 2011) conta a história real de uma escola para surdos na qual os professores abusavam sexualmente dos alunos.

Além de se tornar um sucesso de crítica e de público, levou seu autor a sentir na pele o poder de viralização das redes: o ativismo provocado pelo filme conseguiu que na Coreia do Sul se criasse uma nova lei para tornar mais severas as penas por abuso sexual de menores.

Como cineasta sempre disposto a experimentar coisas novas, seus projetos seguintes foram totalmente diferentes: a comédia leve *Soo-sang-han geun-yeo* (*Velha é a vovozinha*, 2014) e o drama histórico *Namhansanseong* (*Nas muralhas da fortaleza*, 2017). E então chegou a hora do seu maior sucesso.

△ UM JOGO QUE EXIGIU MUITO MAIS QUE ALTA PERFORMANCE

Para seu projeto seguinte, Hwang Dong-hyuk recuperou o roteiro de *Round 6* e o ofereceu como filme para a Netflix, que buscava investir em obras coreanas. A produtora achou que era uma história muito densa para apenas duas horas e lhe propôs que a convertesse em uma série.

O diretor aceitou e criou algumas cenas novas. Por exemplo, tudo o que está relacionado ao policial Hwang Jun-ho. E o resto é história...

Mas uma história difícil. Apesar de contar com um orçamento muito alto e pouco tempo, Hwang Dong-hyuk não quis comprometer sua autoria. Ao contrário do que normalmente é feito, decidiu encarregar-se pessoalmente de escrever e dirigir cada episódio. A pressão foi tanta que acabou perdendo seis dentes.

De qualquer forma, ele reconhece que algumas pontas que ficaram soltas ainda o intrigam. E que possivelmente, se for o caso de acontecer uma segunda temporada, ele cumprirá mais o papel de supervisor e deixará o trabalho mais árduo para os outros. Seja como for, é muito difícil pensar que um sucesso tão imenso não terá continuação.

COREIA, UM PAÍS DE CINEMA! (E DE TELEVISÃO)

As produções coreanas são um sucesso mundial

Round 6 não é o princípio, mas sim a continuação de um grande fenômeno: o grande sucesso da cultura audiovisual da Coreia do Sul em todo o planeta. (Essa é uma forma sisuda de dizer que os filmes e séries coreanos agradam em qualquer lugar.)

Cada um terá suas próprias ideias sobre por que isso acontece. Neste livro apresentamos uma teoria.

A cultura coreana faz sucesso porque, embora continuemos amando os filmes, séries, músicas e HQs que vêm dos Estados Unidos, além daqueles do nosso próprio país, estamos tão envolvidos neles que já é muito difícil que nos surpreendam.

Em contrapartida, as obras que nos chegam da Coreia são, por um lado, muito diferentes e atraem nossa curiosidade, e, por outro, são completamente acessíveis, nada entediantes e com igual apelo emocional, senão até mais.

É o mesmo que aconteceu anteriormente com a cultura japonesa. E o que, por exemplo, não se verifica (por enquanto, pois tudo acontece a seu tempo) com a chinesa.

Também conta muito o fato de que hoje, com plataformas de *streaming* como Netflix, na mesma hora em que você se interessa por uma série como *Round 6*, tem disponíveis ao mesmo tempo inúmeras outras criações.

QUANDO TUDO COMEÇOU?

Sem ir muito longe, no começo dos anos 2000, a descoberta do grande diretor Wong Kar-wai causou furor (embora apenas entre os mais cinéfilos), sobretudo com *Amor à flor da pele* e *2046*, obras muito diferentes de *Round 6*, porém maravilhosas.

Pouco depois, em 2003, chegaria o monumental *Oldboy*, de Park Chan-wook, uma história de vingança muito violenta que foi um sucesso mundial. Tanto que chegou a ser feito um *remake* nos Estados Unidos que, apesar da expectativa, foi recebido com indiferença.

Nada disso foi casual, pois desde os anos 1990 o governo coreano vinha impulsionando uma renovação nas artes. Seu objetivo inicial era promover o turismo. E também se relaciona a isso o fenômeno do K-Pop, a música coreana para adolescentes.

Mais recentemente, não é preciso mencionar o sucesso do filme *Parasita*, de 2020, reconhecido inclusive com o Oscar de melhor filme.

Por sua vez, as plataformas de *streaming* (sobretudo a Netflix) iam se abastecendo de todo tipo de séries coreanas, de todos os gêneros, desde as novelas até a ficção científica. Elas alcançaram bastante sucesso, mas talvez seu maior mérito tenha sido animar a produtora a investir em projetos mais ambiciosos como *Round 6*.

E nada disso teria sido possível, claro, sem uma grande quantidade de diretores, roteiristas, atores e produtores coreanos que, juntos, somam tanto talento que seria impossível que o resto do mundo os ignorasse.

POR ONDE COMEÇAR A MERGULHAR NA CULTURA COREANA?

Vamos recomendar a você dez filmes (os quais procuramos que fossem de gêneros diferentes) e dez séries, sendo quase todas elas dramas e comédias românticas porque é a especialidade coreana na televisão e nas webséries. Como sempre, não estão aqui todos os que são bons, mas são bons todos os que estão aqui. Isto é, se você gostar (há quem não goste!), há muitos outros.

△ FILMES

2046 (Wong Kar-wai, 2004). Parte de uma trilogia, após *Dias selvagens e Amor à flor da pele*, todos eles magníficos. Este episódio, além de ser qualificado como ficção científica, já que está ambientado no futuro, na realidade é também um filme intelectual sobre o amor.

A CRIADA (*Ah-ga-ssi*. Park Chan-wook, 2016). *Thriller* erótico, adaptação de um romance inglês, mas transportado para a Coreia do início do século XX. Foi um grande sucesso de público e (sobretudo) de crítica há poucos anos.

O HOSPEDEIRO (*Gwoemul*. Bong Joon-ho, 2006). Terror clássico no intenso estilo coreano. Em Seul, um monstro sai do rio e começa a atacar as pessoas. A família de uma das vítimas tenta resgatá-la.

OÁSIS (*Oasiseu*. Lee Chang-dong, 2002). Este filme de amor é uma adaptação livre de Romeu e Julieta protagonizado por um jovem com deficiência intelectual e uma jovem com paralisia cerebral. Intenso, mas incrivelmente emotivo.

OKJA (Bong Joon-ho, 2017). Produzido pela Netflix, este filme de aventuras trata de uma jovem que cria uma porca gigante e depois terá de resgatá-la da indústria frigorífica norte-americana. É tão louco como parece, mas emocionante.

OLDBOY (*Oldeuboi*. Park Chan-wook, 2003). O protagonista é preso em uma espécie de cárcere privado durante quinze anos. Não sabe por que ou por quem. Mas assim que sai começa a vingança.

PRIMAVERA, VERÃO, OUTONO, INVERNO... E PRIMAVERA (*Bom yeoreum gaeul gyeoul geurigo bom*. Kim Ki-duk, 2003). Drama quase mudo, lento, mas com imagens belíssimas. Protagonizado por Oh Yeong-su, o velho de *Round 6*.

O EXPRESSO DO AMANHÃ (Bong Joon-ho, 2013). Filme de ficção científica, adaptação de uma HQ francesa. Em um futuro pós-apocalíptico, o pouco que restou da humanidade sobrevive em um trem em constante movimento, no qual volta a se formar um sistema de classes sociais.

INVASÃO ZUMBI (*Busanhaeng*. Yeon Sang-ho, 2016). Para quem acredita que não há nada novo para mostrar nos filmes de zumbis. Protagonizado por Gong Yoo, o recrutador em *Round 6*.

A VILA (*Aknyeo*. Jung Byung-gil, 2017). *Thriller* frenético que teve a rara honra, para um filme puramente de ação, de ser aplaudido durante quatro minutos no festival de Cannes. Impossível não subir sua adrenalina ao ver este filme.

□ SÉRIES

ROMANCE IS A BONUS BOOK (*Romaenseuneun byulchaekboorok*, 2019). História de amor entre uma mulher que se separa do marido e se reencontra com um amigo do colégio, muito atraente, que dirige uma editora.

ANOTHER MISS OH (*Ddo Oh Hae Yeong*, 2016). Comédia romântica com uma premissa mais que curiosa: duas mulheres compartilham o mesmo nome, Oh Hae-young, e o mesmo homem, um jovem que vê o futuro de outra pessoa.

SOMETHING IN THE RAIN (*Bap jal sajuneun yeppeun nuna*, 2018). História romântica entre uma mulher de 30 anos, muito inexperiente no amor, e o irmão de sua melhor amiga, que retorna após uma longa estada no exterior.

THE K2 (*The K2*, 2016). Mistura de suspense e romance, no qual um guarda-costas é contratado pela esposa de um candidato a presidente para proteger a filha ilegítima deste.

HAE-RYUNG – A HISTORIADORA (*Shinibsgwan goohaeryung*, 2019). Este drama histórico ambientado no século XIX conta como uma historiadora luta contra o preconceito de gênero em seu ofício e vive um romance com um príncipe.

ITAEWON CLASS (*Itaewon keullasseu*, 2020). Drama romântico que conta a história de um jovem ex-presidiário e seus amigos, que desejam montar um restaurante, mas para consegui-lo terão de enfrentar um poderoso vilão.

LOVE ALARM (*Joahamyeon ullineun*, 2019). Em um mundo em que faz sucesso um aplicativo que informa se em até dez metros nos arredores há alguém interessado por você, as pessoas começam a sentir falta do romantismo clássico.

HOLO, MEU AMOR (*Na hollo geudae*, 2020). Série romântica com um pano de fundo de ficção científica. A protagonista, reclusa em decorrência de um problema de saúde, apaixona-se por um holograma e por seu criador, que têm o mesmo aspecto, mas personalidades opostas.

APOSTANDO ALTO (*Seutateueob*, 2016). História de um grupo de jovens empresários coreanos do mundo da alta tecnologia. Todos competem entre si para alcançar o sucesso nos negócios e no amor.

VINCENZO (*Binsenjo*, 2021). Um jovem coreano criado entre mafiosos italianos se torna um grande advogado e retorna ao seu país para conduzir o caso contra um empresário todo-poderoso. Uma combinação explosiva de comédia e drama.

ROUND 6

A polêmica nas redes pela tradução e dublagem da série

Quando algo se torna um sucesso mundial seguido por tantos milhões de pessoas, cada detalhe é analisado com microscópio e compartilhado diversas vezes nas redes sociais.

Uma das demonstrações mais claras desse fenômeno é a velocidade com que se espalhou a polêmica sobre a qualidade da dublagem da série a partir do tuíte de uma fã, Youngmi Mayer.

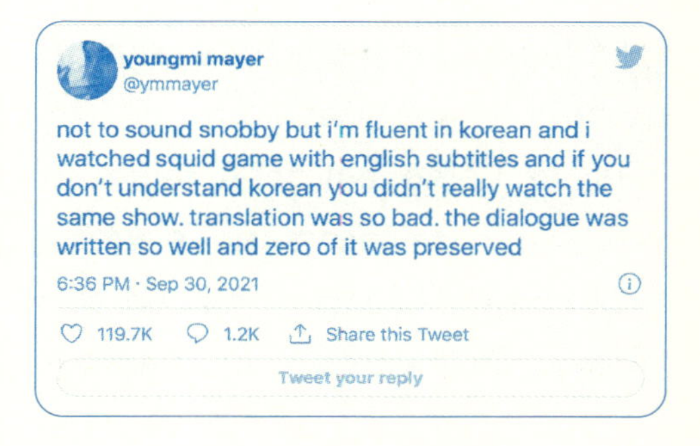

> Não quero parecer arrogante, mas falo coreano com fluência. Assisti *Round 6* com legendas em inglês e, se você não entende a língua coreana, não assistiu a mesma série. A tradução ficou horrível. Os diálogos [originais] são muito bem escritos, mas não sobrou nada deles.

(Esperamos que a autora do tuíte não se chateie com esta tradução!).

Essa opinião rodou o mundo com uma velocidade extraordinária e motivou outra série de reclamações: por exemplo, com relação à dublagem e as legendas em espanhol.

Mas o que há de verdadeiro nisso tudo?

Em primeiro lugar, é preciso levar em consideração o fato de que as dublagens e legendagens nunca podem ser 100% literais. A tradução de um livro, por exemplo, possui o espaço necessário para refletir as intenções do texto original, mas em um filme as legendas precisam ser resumidas de forma que possam aparecer ao mesmo tempo que os personagens falam. Como, em geral, lemos mais devagar do que falamos, isso torna necessário resumir o texto original. E ainda mais com a dublagem, na qual é preciso adaptar a tradução aos movimentos da boca dos atores.

No caso do tuíte mencionado, vale dizer que no dia seguinte outro usuário apontou que as legendas "cheias de erros" eram aquelas que apareciam ao escolher o idioma

"English (CC)" e que as legendas marcadas apenas como "English" estavam muito melhores.

As legendas (CC), *closed captions*, são aquelas que conhecemos como legendas para deficientes auditivos. Como incluem notas do tipo "forte explosão" ou "música melancólica", precisam ser ainda mais resumidas. No entanto, o problema, acima de tudo, é que não são produzidas por um profissional, e sim geradas de forma automática, como se fossem passadas pelo Google tradutor, o qual, embora esteja cada vez melhor, continua deixando de fora muitas sutilezas e pode dar resultados como este:

Inglês	**Português**
The government is proclaiming a carrot-and-stick approach to the problem.	O governo está proclamando uma abordagem cenoura e castigo para o problema.

No caso desse exemplo de tradução automática, a frase traduzida não faz sentido algum em português, já que se trata de uma expressão idiomática em que o sentido mais correto seria: "O governo está anunciando uma abordagem ao problema baseada em punição e recompensa".

Para sermos justos, este é um exemplo extremo. Mas por que a Netflix não contrata um tradutor de verdade? Infelizmente, a legendagem é considerada muito cara e demorada de se fazer considerando que (relativamente) pouca gente a utiliza.

Em geral, deve-se considerar que as legendas (CC) são muito melhores do que nada, mas estão muito distantes da perfeição.

A POLÊMICA NA ESPANHA. A Asociación de Traducción y Adaptación Audiovisual de España fez um comunicado de protesto porque as legendas em espanhol também foram feitas de forma automática e, segundo consta, a partir das legendas (CC) norte-americanas, de maneira que, obviamente, contêm os mesmos erros e alguns novos.

Mas o importante é: perdeu muita coisa quem viu a série dublada ou legendada em espanhol? O autor deste livro foi tirar a prova, e a conclusão é que sim, perdem-se algumas coisas e há outras que soam muito esquisitas; mas, para falar a verdade, não é para tanto. Tudo que é importante continua lá.

OS PROTAGONISTAS

Quem são os grandes atores da série

Ao decidir o elenco de *Round 6*, seu criador e diretor, Hwang Dong-hyuk, tinha uma ideia muito clara: tinham que ser muito bons, estar em muito boa forma para superar as provas físicas e (com exceções) não ser tão conhecidos; não queria que os rostos familiares fizessem a série perder o realismo. E foi assim que se formou este elenco único.

LEE JUNG-JAE

(Seong Gi-hun) é ator e modelo. Foi escolhido para "tirar um pouco dessa imagem muito polida que tem".

PARK HAE-SOO

(Cho Sang-woo) participará do *remake* coreano de *La casa de papel* (você está sabendo disso em primeira mão aqui!).

JUNG HO-YEON

(Kang Sae-byeok) nunca havia atuado antes, embora fosse uma modelo famosa.

OH YOUNG-SOO

(Oh Il-nam), além de ser um ator conhecido, é também roteirista (embora não tenha escrito nada nesta série).

WI HA-JOON

(Hwang Jun-ho), ator, modelo e cantor, começou no cinema trabalhando como eletricista.

LEE BYUNG-HUN

(o Líder) é o mais conhecido do elenco; participou de vários filmes norte-americanos.

HEO SUNG-TAE

(Jang Deok-soo) foi representante da empresa LG antes de se tornar ator. Na vida real, não tem a tatuagem de serpente que aparece na série.

ANUPAM TRIPATHI

(Abdul Ali) recebeu elogios do diretor, embora "tenha sido difícil encontrar atores estrangeiros".

KIM JOO-RYUNG

(Han Mi-nyeo) é uma atriz veterana, com mais de 15 filmes e 12 séries de televisão na Coreia.

LEE YOO-MI

(Ji-yeong), embora seja uma das pessoas mais jovens do elenco, é uma das atrizes com maior experiência em cinema e TV.

OS ERROS PERDOADOS NESTE JOGO MORTAL

Alguns erros de gravação que talvez você não tenha visto

Desde que em um filme antigo de faroeste um personagem saía de uma cabana, ouviam-se vários tiros e ao retornar ele entrava arrastando-se e atravessado por flechas, a caça aos erros se tornou um passatempo de cinéfilos.

Esses erros podem ser de vários tipos: de enredo (se em *Star Wars* Obi-Wan jurou proteger Luke, por que o levou para o planeta de Darth Vader e nem ao menos mudou seu sobrenome?); de *raccord*, ou seja, organização das sequências (por que em alguns filmes de Harry Potter Lilá Brown é negra e em outros é branca?); de verossimilhança (é sério que no livro *O código Da Vinci*, em uma noite o vilão vai caminhando de Sevilha até Andorra?), e muitos outros.

Em geral, fazer um filme ou uma série é um processo bastante complexo, e não há nenhum em que não se cometa algum tipo de erro.

Aqui você verá uma lista com algumas das falhas de *Round 6*.

É óbvio que, levando-se em conta a grande quantidade de personagens diferentes e a complexidade da história, se o pior são estes erros, a série se destaca muito mais pelos poucos erros que tem.

Ah... e, claro, como sempre que se escreve sobre estas coisas, pedimos desculpas pelos erros que possam existir neste livro!

- No segundo episódio, quando os guardas devolvem os jogadores à cidade, todos estão vestidos com as mesmas roupas que usavam antes, exceto Seong Gi-hun e Kang Sae-Byeok, os quais são deixados com roupas íntimas. Por quê? Por que a atriz Jung Ho-yeon é uma *top model* e assim fica mais sexy?
- Na verdade este não é um erro da série, mas muitos fãs o perceberam dessa forma nas redes sociais, ao falar de como, à medida que se retiram os beliches do dormitório, vão aparecendo murais à vista com desenhos dos jogos "que poderiam dar pistas aos jogadores". Na realidade não é assim: primeiro, porque não se indica em que ordem vão disputar, de maneira que continuam sem saber qual será o próximo jogo; e segundo, porque

em muitos casos isso também não serviria para entender sobre o que será a prova, como no caso do jogo dos biscoitos.

- E, já que estamos falando disso, não "cola" muito que, quando restam apenas três competidores, já quase não há beliches e os desenhos das paredes estão plenamente à vista, eles continuem sem dar o menor sinal de que estão reparando nos desenhos.
- Na versão espanhola de *Round 6*, a prova Batatinha frita 1, 2, 3 é chamada de *Luz roja, Luz verde;* percebeu-se que às vezes se diz "luz roja, luz verde" e outras "luz verde, luz roja". Mas os espanhóis não consideraram esses momentos os tais *terríveis erros de dublagem*, já comentados.
- No episódio 6, ao ter que escolher alguém para formar dupla, quase ninguém se interessa por Seong Gi-hun. Já na prova de cabo de guerra, seguindo as instruções de Oh Il-nam, ele foi escolhido como líder da equipe, o personagem mais carismático e com mais recursos para ser o primeiro na corda.
- Este "erro" talvez seja o mais divertido: na conversa entre Kang Sae-Byeok e Ji-yeong, o autor se permite a piada de mencionar o famoso ator coreano Lee Byung-hun,

que depois o espectador descobre que é quem interpreta o Líder. Mas, então, se Lee Byung-hun existe no "universo" da série, então o Líder é um famoso ator? O irmão de Hwang Jun-ho mudou de nome e entrou no mundo do espetáculo? Ou simplesmente se parecem muito?

- Nos nomes coreanos, o sobrenome vai primeiro e o nome vem depois (isso se nota claramente nos casos como o dos irmãos Hwang Jun-ho e Hwang In-ho). O mesmo fizeram com "Abdul Ali", o que se manteve na dublagem, quando certamente deveria ser Ali Abdul.
- Se você prestar bastante atenção, verá que durante a prova das bolas de gude, em alguns casos eles se confundem com quem escolhe "par" e quem escolhe "ímpar".
- O Líder reconhece que alguém esteve em seu quarto porque colocaram o gancho do telefone ao contrário da forma como ele faz, da direita para a esquerda. No entanto, quando ele e seu irmão estão com as pistolas apontadas um para o outro, vemos que o Líder é canhoto e Hwang Jun-ho é destro. O normal seria que os dois colocassem o telefone ao contrário de como aparece!
- Qual o sentido de os VIPs, as pessoas muito importantes, aparecerem tão tarde na série? Até se poderia arriscar a dizer que aparecem apenas para as provas mais intensas, as últimas; mas, como dizem, já estão fazendo apostas milionárias desde o começo, e, sendo

como são, diríamos que não iriam querer deixar de ver matanças como a da primeira prova. (Mas é claro que isso tem, sim, sentido narrativo, para que a série vá administrando as surpresas.)

- Mais sobre os VIPs: durante a prova da ponte de vidro, estes se lamentam de não ter prestado atenção ao fato de no currículo de um competidor constar que havia trabalhado em uma fábrica de vidro. Mas antes haviam deixado muito claro que não sabiam qual seria a prova! Como iriam saber que isso seria uma vantagem? (O mesmo não se pode dizer do Líder: ele, sim, não se ateve à informação.)
- Continuando com os VIPs: esta última não é uma falha propriamente dita, mas você percebeu como são ruins os atores que fazem papel de VIPs e os seus diálogos, comparados com o primor do restante? Supomos que sejam tão precários porque não deve haver muitos atores americanos na Coreia e que escrever em inglês também não seja a especialidade de Hwang Dong-hyuk, o criador e roteirista.

E VOCÊ? DOMINA OS JOGOS DE *ROUND 6*?

Responda o nosso *quiz* e prove que é um *expert*

A série está cheia de detalhes sutis (e alguns não tão sutis) pelos quais os fãs demonstram nas redes sociais estar obcecados desde o começo.Aqui você terá a oportunidade de testar seus conhecimentos.

Há perguntas fáceis e difíceis, respostas lógicas e absurdas, e algumas delas você pode encontrar neste livro mesmo.

Não podemos prometer que você ganhará 45.600 milhões de wons, mas também não acabará cremado se perder.

Boa sorte, jogador 457!

1. Você sabia que há alguns anos os biscoitos como os de *Round 6* já estiveram na moda? Como eram chamados?
   ○ Biscoitos Maria.
   □ Dalgona candies.
   △ Lucky Cookie.
   ☂ Alberto Fernández.

2. A boneca gigante do jogo Batatinha frita 1, 2, 3 existe de verdade. Está à porta de um museu coreano de...
   ○ Bonecas gigantes assassinas.
   □ Brinquedos infantis.
   △ Carruagens antigas.
   ☂ Monstros de filmes.

3. Durante o jogo da lula, quando um jogador atacante supera o defensor, grita:
   ○ "Inspetor secreto."
   □ "Inspetor real."
   △ "Não tenho um real."
   ☂ "Os donuts são meus!"

4. Você já sabe que o Líder é o irmão de Hwang Jun-ho. Mas qual é o nome dele?
   ○ Hwang Jun-ho Júnior.
   □ Hwang In-ho.
   △ Hwang Kar-Wai.
   ☂ Hwang Mariano.

5. Segundo o Líder, o que as pistolas da polícia devem conter no tambor?
○ Uma mira telescópica.
□ O número do agente gravado no cano.
△ Uma bala de festim e um compartimento vazio.
☂ Uma bandeirinha que se desenrola e na qual está escrito "Bang!".

6. O jogador Byeong-gi (número 111), que participa no tráfico de órgãos, era médico, mas perdeu a licença por:
○ Cometer um erro e matar um paciente.
□ Matar um paciente deliberadamente.
△ Traficar órgãos de outros pacientes.
☂ Não ser muito paciente.

7. Han My-nieo diz ter sido condenada cinco vezes por:
○ Dirigir embriagada.
□ Assassinato.
△ Fraude.
☂ Ser encrenqueira.

8. Jung Ho-yeon, que interpreta Kang Sae-byeok, já era famosa na Coreia antes da série por sua profissão de:
○ Política.
□ Modelo.
△ Apresentadora de noticiários.
☂ Batedora de carteira.

9. Ji-yeong foi recrutada para os jogos à porta de:

○ Uma cadeia.

□ Sua casa.

△ Uma loja de departamentos.

☂ Um castelo.

10. Tanto Seong Gi-hun como Cho Sang-woo e Oh Il-nam nasceram no mesmo bairro. Qual o nome do bairro?

○ Ssangmun-dong.

□ Sang-Guang.

△ SsangYong.

☂ Vila Sésamo.

11. O que significa a figura do círculo na máscara dos guardas?

○ Que têm permissão para falar.

□ Que são trabalhadores não armados.

△ Que cometeram um erro leve.

☂ Que dormiram em cima da xícara do café da manhã.

12. Em que consiste o almoço repetido por Jang Deok-su e os seus comparsas?

○ Um ovo cozido e um refrigerante.

□ Uma tigela de arroz e água.

△ Batatas rústicas e uma cerveja.

☂ Um sanduíche de lula.

13. Em sua peixaria, a mãe de Cho Sang-woo exibe orgulhosa uma foto de:

○ Seu marido vestido de soldado.

□ Ela com seu filho pequeno.

△ Ela com seu filho na formatura.

☂ A vez em que pescou uma sardinha de 50 quilos.

14. O que tem dentro da casa em que Oh Il-nam entra no jogo das bolas de gude e que parece muito suspeito?

○ Um uniforme de guarda em um canto.

□ Enfeites com formato de círculos, triângulos e quadrados.

△ Uma sacola com duzentas bolas de gude para o caso de precisarem.

☂ Bonecos de um toureiro e de uma bailarina de *flamenco* em cima da televisão.

15. A imagem típica dos corredores foi inspirada na obra de:

○ M.C. Escher.

□ M.C. Hammer.

△ Leonardo da Vinci.

☂ Leonardo di Caprio.

16. A obra de música clássica que os competidores sempre escutam ao acordar é:

○ A *Quinta Sinfonia* de Beethoven.

□ *Amanhecer*, de Grieg.

△ *O Danúbio azul*, de Strauss.

☂ "Marcha soldado".

Verifique suas respostas a seguir e some os seus acertos.

De 13 a 16 acertos: Fã nível "Líder".

De 9 a 12 acertos: Fã nível "guarda com quadrado".

De 5 a 8 acertos: Fã nível "guarda com triângulo".

De 1 a 4 acertos: Fã nível "guarda com círculo".

0 acerto: Fã nível "competidor engasgado com o biscoito".

Respostas corretas: 1) □/ 2) △/ 3) ○/ 4) □/ 5) △/ 6) ○/ 7) △/ 8) □/ 9) ○/ 10) ○/ 11) □/ 12) ○/ 13) △/ 14) □/ 15) ○/ 16) △.

AGRADECIMENTOS

Eu, "Park Minjoon", gostaria de agradecer a:

Cheonsa-deul e todos da Duomo, que tornaram tão fácil escrever este livro.

Núria Garcia, Marcos Paley e Anna, que me deram todo apoio quando eu precisei.

Iago Fernández e David Monserrat, que de forma tão amável ajustaram os prazos para poder escrevê-lo.

Mitoyo, que me ajudou a saber como escrever os nomes em coreano: primeiro o sobrenome, ou não; com hífen, ou não; com três sílabas, ou não. E sempre usando o nome inteiro se você não for amigo íntimo.

Ferran "Ñuñu" Mazzanti, por me nutrir com a raiva necessária para escrever as partes mais difíceis.

E a minha mãe, Marta, em convalescença durante todo o processo, e que logo estará melhor do que nunca.

Livros para mudar o mundo. O seu mundo.

Para conhecer os nossos próximos lançamentos
e títulos disponíveis, acesse:

www.**citadel**.com.br

/**citadeleditora**

@**citadeleditora**

@**citadeleditora**

Citadel - Grupo Editorial

Para mais informações ou dúvidas sobre a obra,
entre em contato conosco pelo e-mail:

contato@**citadel**.com.br